JN035635

意味が分かると怖い話

藤白圭

河出書房新社

意味が分かると慄く話

IMIGA WAKARUTO ONONOKUHANASHI

意味が分かると慄く話

第1章

GHOST

STORY 001

タクシー

飲み会の帰り。

タクシーを拾おうと大通りに出ると、ちょうど来た。

急いで手を挙(あ)げるが、よく見ると屋根の表示灯は消灯の実車中。

がっくりと肩(かた)を落とし手を下げると、なぜか手前で停車した。

表示を間違(まちが)えていたのだろう。

急いで近づき確認すると乗車ＯＫ。

車に乗り込(こ)み行き先を告げると、運転手は嬉(うれ)しそうな声を出した。

「今日はラッキーです。ちょうどお客さんを降ろしたところで、またお客さんが乗ってくださったんですから」

車内の温度が一気に下がったような気がした。

タクシーを拾おうとした男の前で停まったのは、ランプが消灯している実車中のタクシー。
ランプ表示を間違えただけだと思いきや、運転手は「今、客を降ろしたところ」だと言う。でも男はタクシーから降車する客の姿は見ていない。
このタクシーから降りた客は、まさか幽霊？
幽霊を乗せてきたことにも驚きだが、支払われたお金が本物なのかも気になる。

合せ鏡

「午前〇時に合せ鏡を見ると何枚目かに霊の姿が映るらしいよ」
「午前二時だと自分の死に顔なんだろ？」
「試してみる？」
「おう」
「いいよ」
男女の二人が〇時に合せ鏡を覗き見た。
「うわっ！」
「きゃー！」
「え、何だよ。午前〇時でも死に顔じゃねーか！」
悲鳴と不貞腐れたような声が部屋に響いた。

午前〇時は霊が映り、午前二時には自分の死に顔が映ると言われている合せ鏡。
男女二人が午前〇時になって、合せ鏡を試したのだが、彼(かれ)らの悲鳴に混じって別の誰(だれ)かが喋(しゃべ)っている。
「午前〇時でも死に顔じゃねーか」というのは、鏡に映っている自分の顔を見て、霊（すでに死んでいる人間）が文句を言っているのだろう。
好奇心旺盛(こうきしんおうせい)な幽霊には困ったものです。

STORY 003

親友

中学時代からの親友が俺(おれ)には五人いる。

高校や大学が別々になっても、就職で住む場所が遠くなっても、年に一度は必ず会っていたのだが、今年、一人が事故で亡(な)くなった。

葬式(そうしき)で会った仲間たちと、思い出の地で亡き友を語ろうという話になった。

行き先は二つに絞(しぼ)られたものの、どちらにするかは投票になった。

「うわ、引き分けじゃん」

「同票かよ。もう二ヶ所に行くしかないな」

俺たちは友を想(おも)い、旅を計画した。

語り手には親友が五人いる。

そのうちの一人が亡くなったということは、語り手を含めて仲間は五人。

多数決で思い出の地の行き先を決めるにしても、引き分けはありえない。

一人増えたのか、それとも一人減ったのか……

どちらにしても、不可解極まりないことには変わりはない。

STORY 004

消えた少年

幼い頃、長期休みには毎回母方の実家に帰省していたので、近所の子供たちと仲良くなり、よく遊んでいた。

ところがある日、かくれんぼ中に一人が行方不明になってからは、その地を訪れることはなくなった。

ふと俺は、当時、大人に絶対に入ってはいけないと言われていた廃墟があったことを思い出した。

ヤンチャな彼のことだ。

もしかして……と、久しぶりに廃墟に向かう。

中に入ると、床にぽっかりと空いた穴の中で、彼が両手を振って必死に助けを求めていた。

語り手は幼い頃、一緒に遊んでいた子がいなくなったと言っているにもかかわらず、何年も経ってから訪れた廃墟の中で、消えた少年が助けを求めて手を振っていることなどありえない。
彼はもうこの世のものではないことは明らかだ。

STORY 005

同室

部活中、足を骨折した。
自分が思っていた以上に折れ方が酷いらしく、手術が必要と言われた。
当然、即入院。
大部屋しか空いていなかったのだが、たまたま入院患者が少ないのか、その部屋は俺一人だけ。
周りに気を使わなくてすむのがありがたい。
夜中、尿意を催し、トイレに行く。
薄暗い廊下が不気味なので、さっさと用を足して戻ると、巡回中の看護師さんが部屋から出てきた。
「同室の人は寝ているから静かにね」
人差し指を口元にあてる看護師の言葉に、俺は部屋に入るのを躊躇した。

大部屋とはいえ、自分一人しかいないはずの病室。
それなのに、深夜トイレに行って帰ってくると、巡回中の看護師に「同室の人は寝ているから静かにね」と言われるのは相当怖(こわ)い。
自分以外に一体誰(だれ)がいるのか、不安と恐怖(きょうふ)で眠(ねむ)れぬ夜を過ごすことになるだろう。

STORY 006

吊り橋

田舎の温泉宿で、美味しい食事と温泉を堪能し、のんびり過ごしていると、タバコを切らしていることに気がついた。

宿の売店はすでに閉まっていたので、小さなバッグに小銭だけを持って吊り橋を渡った先にあるコンビニへ行くが、店員二人は俺のことを無視して喋っている。

聞き耳をたてると、夕方、吊り橋が崩壊したとかなんとか。

慌てても来た道を戻ると、街路灯すらなく、薄暗い道の先には吊り橋がなくなっていた。

荷物も車も宿に置いたままの俺は途方に暮れた。

夕方に崩壊した吊り橋を渡れるはずはない。
語り手は街路灯もなく、薄暗い闇(やみ)の中で吊り橋を渡ろうとして、谷底に落ちてしまったのだろう。
自分が死んでしまったことに気がついていない彼(かれ)の態度が、何とも切ない。

STORY 007

化け物

あまり人通りのない道を歩いていると、前から男が必死の形相で走ってきた。
「た、助けてくれっ！　化け物がっ！」
彼の背後からはゆったりとした足取りで歩いてくる女性の姿。
うつむき加減で顔は見えないが、女性に化け物だなんて失礼にもほどがある。
「どこが化け物なんですか」
呆れたように言えば、「顔を見れば分かる！」と怒鳴る。
「顔って？」
「口があって、耳があって、目があるんだよ！」
そりゃ当然だろうとツッコミを入れたくなったが、間近まで来た彼女が顔を上げたとき、
男と一緒に走って逃げた。

「口があって、耳があって、目があるんだよ！」と言われたら、普通(ふつう)の顔だと思うが、もしもその数が違(ちが)っていたら？
もしも、鼻がなかったら？
もしも、その配置が自分たちが思っている配置と違っていたら？
百聞は一見にしかずとはよく言ったものだ。

STORY 008

同窓会

小学生時代。

通っていた学校が在学中に廃校になり、中途半端なときに別の学校に転入した。

あのときは周りには友達もいないし、周囲も季節外れの転校生に遠慮がちで、なかなか打ち解けられなかったのも今ではいい思い出だ。

小学校を卒業してかれこれ二十年。

卒業した小学校ではなく、廃校になった学校の同級生から同窓会のお知らせが来た。

あれから一度も会ったことがないので、皆どうしているのか気になって参加することにした。

会場に到着すると、皆が俺に「老けたな」とか「太ったな」とか言って駆け寄ってくる。

俺は逆に、震える声で皆に言った。

「お前らは全然変わらないな」

二十年以上も会ったことがない元同級生たちとの同窓会。
当然、老けたり、太ったり、背が伸びていたりと、外見が変わらない人はいない。
けれども、語り手の同級生は全然変わらないということは、幽霊か化け物としか思えない。
もしかしたら廃校になったのは、何らかの理由で、語り手以外の生徒たちが亡くなったからなのかもしれない。

STORY 009

孝行息子

駅のホームで老婆(ろうば)を背負っている男性がいた。

きっと自分の母親なのだろう。

仲良し親子に胸が温かくなった。

翌日、死後一ヶ月以上経(た)った女性の他殺体が発見されたというニュースが流れたのだが、容疑者と被害者(ひがいしゃ)の顔写真を見て驚(おどろ)いた。

なぜなら、昨日の孝行息子とその背中に背負われた老婆だったのだから。

人って表面だけでは解らないものだ。

駅のホームで老婆を背負っている男性を見かけた語り手は、翌日のニュースで彼(かれ)が母親を殺害したことを知る。
死後一ヶ月以上経っている死体は、相当酷(ひど)い状態。そのような状態で背負っていれば、誰(だれ)もが死体だと気がつき通報するはず。
けれど、語り手が生前の写真を見て、被害者は背負われていた女性だとハッキリと認識できているということは、殺された母親が男性の背中にとり憑(つ)いていたということ。

STORY 010

自殺サイト

受験に失敗し、彼女にもフラれ、両親は離婚。

挙げ句の果てに家が火事で全焼した。

あまりの不幸続きに、心が折れた。

生きる気力を失った俺は死にたくなったのだが、自殺するにしても、痛いのも苦しいのも嫌だ。

何かいい方法はないのかとネットで検索していると、自殺サイトにたどり着いた。

あらゆる死に方だけでなく、体験談まで書かれてあった。

死に至るまでの時間や痛み、苦しみ、死ぬ間際の感情だけでなく、死ねなかったときの後遺症やその後の暮らし、死んでからの状態など、あまりにも詳細すぎて、逆に死ぬのが怖くなった。

自殺しようとして、死ねなかったときの後遺症やその後の暮らしぶりは体験談で書かれていてもおかしくはないが、死に至るまでの時間や、死ぬ間際の感情は、死んだ人間でなくては書けない。
ということは、このサイトに書き込みをしているのは、死んでしまった人たち……つまりは霊。
ある意味、一番の自殺抑止効果になるのかもしれない。

STORY 011

列車

残業で会社を出る時間が遅くなった。
駅のホームに着くと、ちょうど電車が出てしまったところ。
電光掲示板を見ると、次は回送、その次は快速。
私が乗るのはその後の急行。
夜はまだ冷える季節に、二十分程度待たなくてはいけないのは少し辛い。
目の前を通過していく列車の中で、暖かそうにしている乗客を羨ましく思った。

通過列車ならまだしも、回送列車には乗客はいない。
それなのに、暖かそうにしている乗客の姿があるのはおかしい。
語り手がそのことに気がついたとき、きっと、背筋が凍(こお)ることであろう。

STORY 012

わんぱく小僧(こぞう)

我が家は男の子ばかりの三兄弟。

わんぱく盛りで、川や公園に遊びに行っては、よく泥(どろ)だらけになって帰ってくる。

今日も近所に住むお友達と、その父親と一緒(いっしょ)に釣(つ)りに行って、どろどろになって帰ってきた。

早くお風呂(ふろ)に入るように言うと、三人一緒に風呂場へ直行した。

足も拭(ふ)かずに廊下(ろうか)を走っていくので、当然、あちこちに足跡(あしあと)がいっぱいつく。

元気なのは嬉(うれ)しいけれど、さすがに男の子三人は疲(つか)れるなと、床(ゆか)や壁(かべ)を拭きながらタメ息をついた。

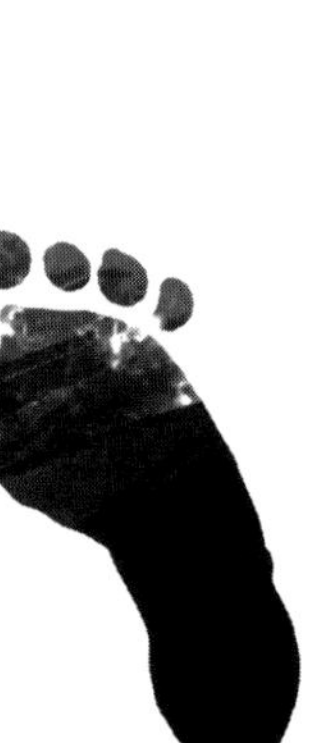

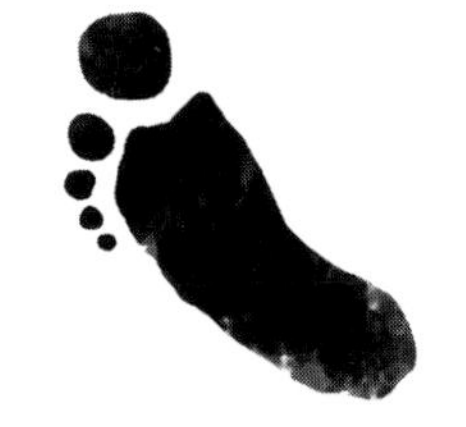

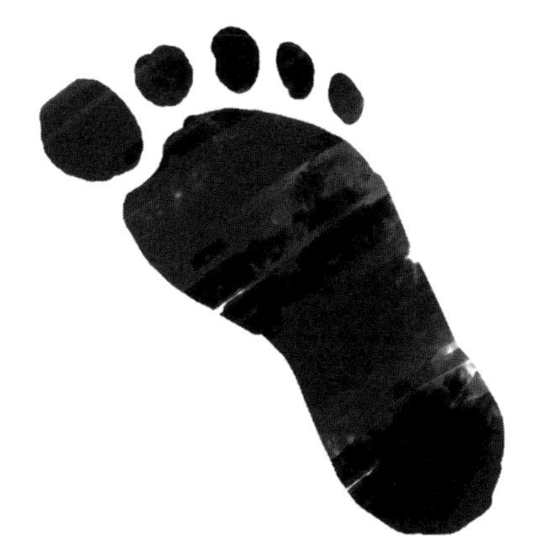

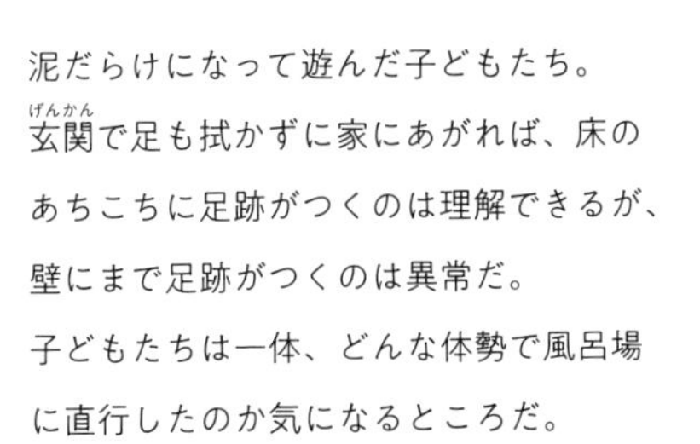

泥だらけになって遊んだ子どもたち。
玄関で足も拭かずに家にあがれば、床の
あちこちに足跡がつくのは理解できるが、
壁にまで足跡がつくのは異常だ。
子どもたちは一体、どんな体勢で風呂場
に直行したのか気になるところだ。

STORY 013

廃校（はいこう）

友人たちと山奥（やまおく）の廃校に肝試（きもだめ）しに来た。

二人一組で校舎内を探検していると、尿意（にょうい）を覚えた。

一緒（いっしょ）に回っている彼女（かのじょ）にトイレに行きたいと言えば、彼女も我慢（がまん）していたという。

私たちはとりあえず、近くにあったトイレに駆（か）け込（こ）み、隣（となり）同士の個室に入った。

ほっと一息つくと、トイレの水を流す音が聞こえる。

自分も用を足して水洗レバーを押（お）した瞬間（しゅんかん）、全身に鳥肌（とりはだ）がたった。

廃校は電気も水道も止まっているはずなので、トイレの水が流れることはない。語り手は水洗レバーを押して、そのことに改めて気がついたのだろう。

STORY 014

幽霊の出る廃墟

隣町にある廃墟で、女の幽霊が出るという噂が広まった。

オカルトマニアや肝試しをする男女が絶えず訪れるようになり、皆、口を揃えて「恨めしそうな女の姿を見た」と言う。

俺は気になってその廃墟を訪れた。

誰もいなくなったところを見計らって中に入る。

背筋が寒くなる。

得体の知れない何者かの気配を感じ、振り返ると、そこには首に縄が食い込んだ女の姿があった。

「なんだ。俺とは関係ないヤツじゃん」

俺は安心して帰宅した。

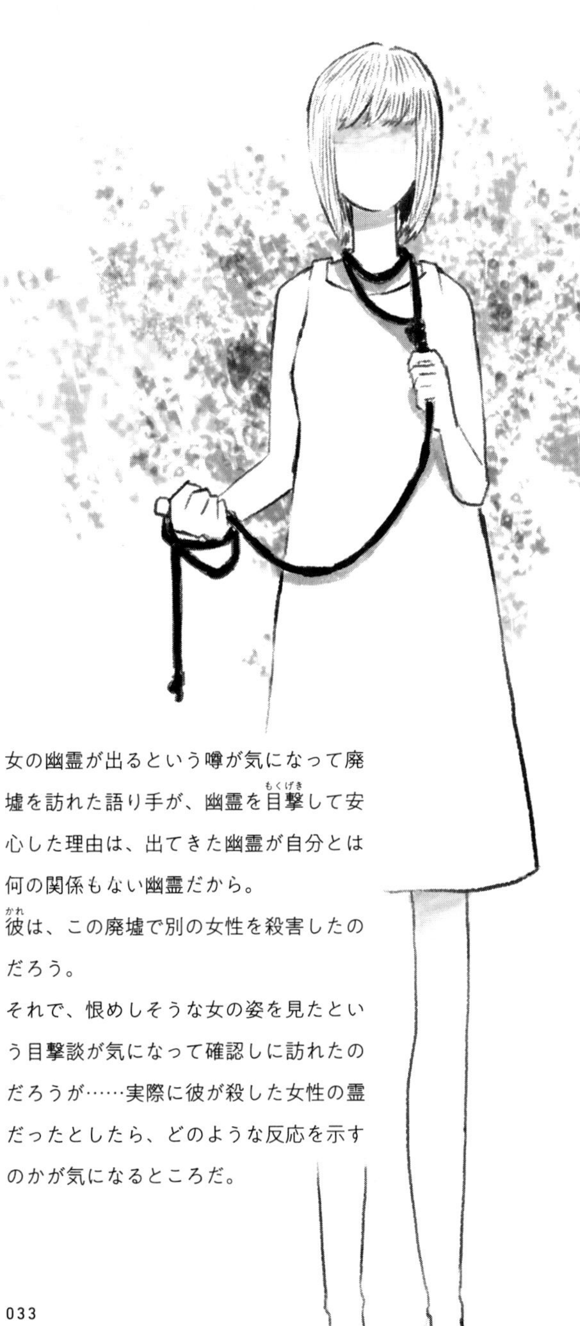

女の幽霊が出るという噂が気になって廃墟を訪れた語り手が、幽霊を目撃(もくげき)して安心した理由は、出てきた幽霊が自分とは何の関係もない幽霊だから。
彼(かれ)は、この廃墟で別の女性を殺害したのだろう。
それで、恨めしそうな女の姿を見たという目撃談が気になって確認しに訪れたのだろうが……実際に彼が殺した女性の霊だったとしたら、どのような反応を示すのかが気になるところだ。

第2章

殺

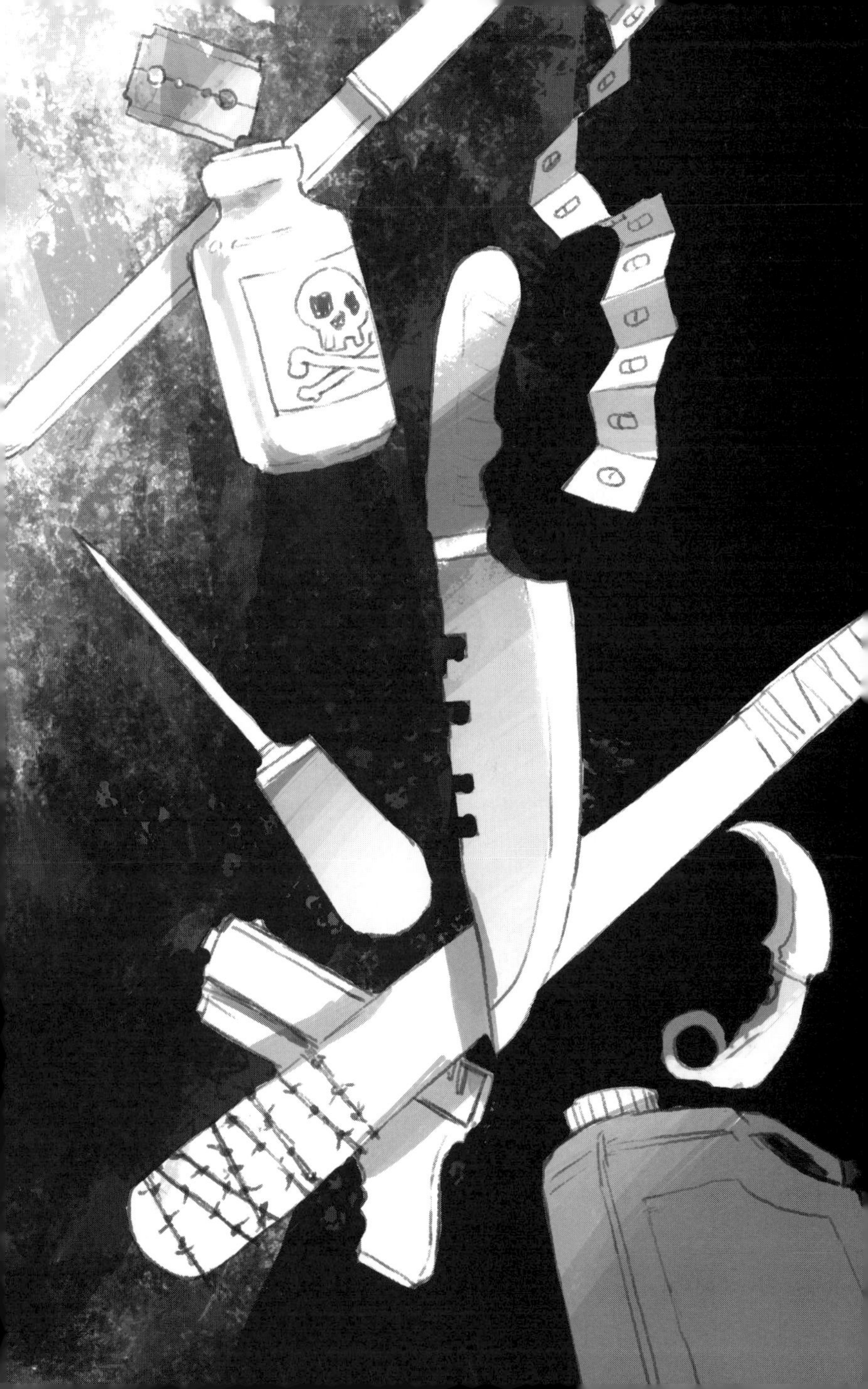

STORY 015

かくれんぼ

友達と公園でかくれんぼ。
一人、二人と探しあてていく。
「あと一人……」
あたりを見渡すと、駐車場に停まっている車の下に足が見えた。
車の反対側から忍び足で近づいた。
「見ぃつけた！」と勢いよく飛び出すが、誰もいない。
バタンというドアの音とともに走り出す車。
「え？　幽霊？」
僕たちはパニックになり散り散りになって帰宅した。
かくれんぼで見つからなかった友達は、その後行方不明になった。
僕たちは幽霊に連れ去られたと思い、二度と公園には近づくことはなかった。

車の下に見えた足は、間違(まちが)いなく友達の足。
かくれんぼの鬼(おに)役が、車の反対側から忍び足で近づいている間に、友達は車内に引きずり込(こ)まれた。
ドアの音は犯人が車に乗り込んだ音であり、周囲にいた子どもたちは、幼さのあまり、友達が誘拐(ゆうかい)されたことに気がつかなかったのだろう。

STORY 016

美味しい桃（もも）

懇意（こんい）にしている農家さんのところに桃を直接買いにいった。
箱詰（はこづ）めしてくれている間、味見に桃を切って出してもらう。
甘（あま）くてジューシー。
顔がほころぶ。
「美味しい！　なんでこんなに美味しいんだろ。そういえば、紫陽花（あじさい）の下に死体を埋（う）めると花の色が変わるとか、果物の木の下に死体を埋めると果実が甘くなるとか聞いたことがありますけど、まさか、この桃も？」
「そんなの迷信ですよ。今は肥料もいいですし、何も変わりませんよ」
ご主人の話になるほどと納得した。

木の下に死体を埋めると果実が甘くなるという迷信に対して、果樹園の主人は「何も変わらない」と言う。
この言い方だと、いい肥料を使ったときと、木の下に死体を埋めたときと、果実の味に差はないと受け取れる。
何の死体を埋めたのかは分からないが、この果樹園の桃だけは食べたくない。

STORY 017

絶景スポット

僕の住んでいる街は観光地。
断崖絶壁の絶景スポットには、毎日たくさんの観光客が集まる。
ある日、女性客が「もっと人の来ない場所ってないの？」と聞いてきた。
地元の人しか知らない穴場はあるが、大人たちはその場所を荒らされたくないのか、誰も教えてあげない。
僕は可哀想に思って、特別に教えてあげた。
翌朝、彼女は浜辺に打ち上げられた。

断崖絶壁で人の来ない場所を探している
時点で、女性客が自殺を目的としている
ことに気がついていた大人たちとは違い、
親切心から、地元民しか知らない穴場を
教えてしまった語り手。
翌日のニュースを見て、トラウマになっ
たことは言うまでもないだろう。

STORY 018

留学生

うちのクラスに留学生がやってきた。
彼女は日本語が上手なので、あっという間に皆と打ち解けた。
ファミレスで歓迎会をしている最中、彼女がトイレで中座してからなかなか戻ってこない。

体調を悪くしたのかと思いトイレに行くと、個室が一つ閉まっていた。
ノックをして「大丈夫？」と尋ねると「まーだー！」と叫ぶ。
どうやら大のほうらしい。
私はとりあえず、席で待っていることを告げてその場から立ち去った。

いくら外国語が得意な人であっても、パニックに陥(おちい)ったり、精神が混乱したりしているときに、とっさに出てくる言葉は慣れ親しんだ母国語。
トイレからなかなか戻ってこない留学生が叫んだ「まーだー」は、「まだ、トイレから出られない」という意味ではなく、「Murder（殺人）」のほう。
いつまで経(た)っても開かないトイレの個室から、唸(うな)り声や呻(うめ)き声が聞こえた場合、中にいる人は体調が悪いだけとは限らない。

STORY 019

学校飼育動物

「先生〜、ウサギがいなくなったよぉ」
「鶏（にわとり）もいないの」
学校飼育の動物が忽然（こつぜん）と姿を消した。
飼育小屋はしっかりとしていて、鶏やウサギが逃（に）げ出せるような隙間（すきま）はない。
たまたま通りかかった給食センターの人が、悲しむ子どもたちの頭を撫（な）でた。
「ウサギさんも鶏さんも、皆（みんな）の中で生きているからね」

「ウサギさんも鶏さんも、皆の中で生きているからね」
この台詞(せりふ)は、学校飼育の動物たちがいなくなっても、悲しんでいる子どもたちの心の中で生きているという意味ではなく、いなくなった動物たちは、子どもたちが食べてしまったということ。
給食センターの人が、なぜそのことを知っているのかといえば、飼育動物を給食の材料にした張本人だから。
たとえ冗談(じょうだん)であっても、こんなことを言われたら、子どもたちにとってはトラウマでしかない。

STORY 020

楽になる

突然、私は重い病気にかかった。

両親は、高熱にうなされ、全身に痛みが襲い泣きじゃくる私を見て、すぐに病院に連れていってくれた。

「娘が苦しんでいるんです。早くなんとかしてください」

「分かりました。すぐに楽にしてあげますね」

必死に懇願する母親に根負けした医者が、私に注射を打ってくれた。

さすがは医者。

効果テキメンで、私の体はスーッと軽くなった。

「ママ！　物凄く楽になったわ」

笑顔を両親に向けると、二人は私の体を抱きしめて号泣していた。

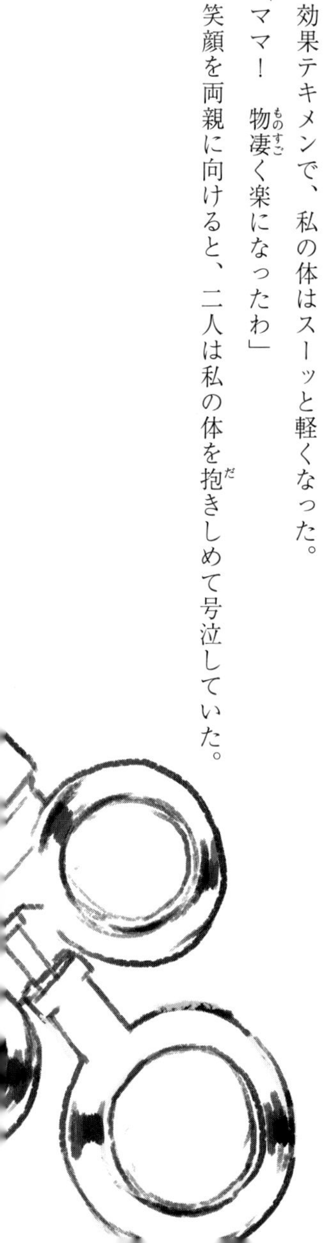

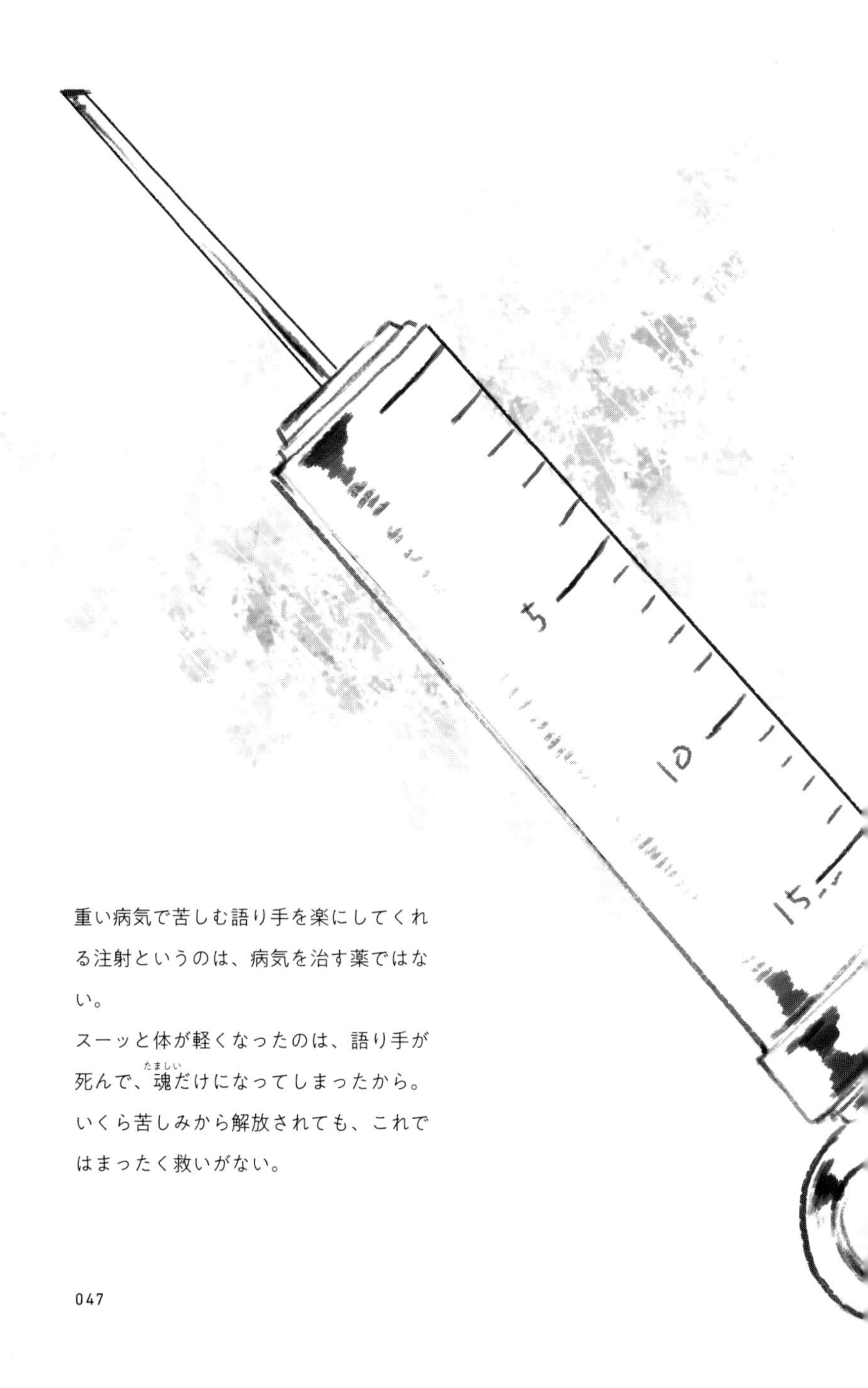

重い病気で苦しむ語り手を楽にしてくれる注射というのは、病気を治す薬ではない。
スーッと体が軽くなったのは、語り手が死んで、魂(たましい)だけになってしまったから。
いくら苦しみから解放されても、これではまったく救いがない。

STORY 021

発見された妹

行方不明の妹が遺体となって発見されたと連絡がきた。
両親と私は身元を確認するために警察に呼ばれた。
その場で怒ったように、「これは娘じゃない」と冷たく言い放つ父と、泣き崩れる母親。
傷もなくきれいだが冷たい妹の姿。
二人とも感情のコントロールができていないようなので、私は冷静に妹をどこで見つけたのか警察に確認したあとでうなずいた。
「間違いなく、コレは妹です」

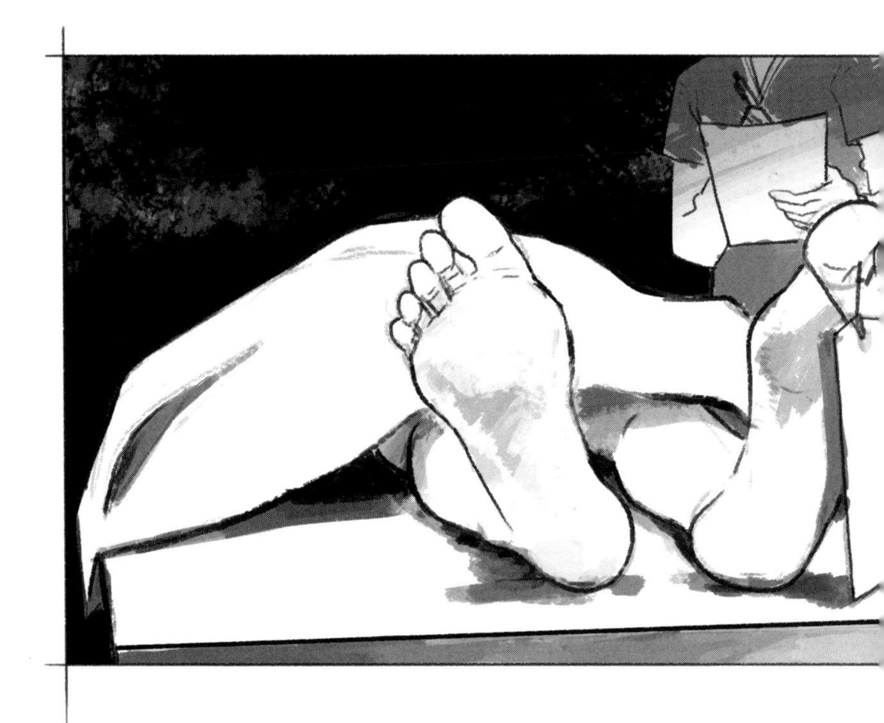

遺体となって発見された行方不明の妹。
身元確認をしたとしても、大事な肉親の死をなかなか受け入れられないというのは理解できるが、語り手はなぜ遺体が発見された場所を聞いて、自分の妹だと判断できたのか？
語り手が妹を殺したか、あるいは妹の遺体を遺棄（いき）した張本人なのだろう。

STORY 022

一つのことしかできない女

女って複数のことを同時にすることが得意って言うでしょ？
料理を作りながら片付けも同時進行でこなせる人がいるのに、私は一つのことを終わらせないと次のことができないタイプ。
この間なんて、魚を捌いているときに旦那に声をかけられても気がつかなくって。
いきなり肩を叩くから、びっくりして思わず右手で振り払っちゃった。
もちろん、台所も旦那も血塗れ。
生臭いったらありゃしない。
とりあえず、魚を捌き終えてから片付けをしたのは言うまでもないけどね。

魚を捌いていたということは、右手には
包丁が握られている。
肩を叩かれ、びっくりした拍子に右手で
振り払ったということは、包丁を持つ手
を振り回したということ。
台所も旦那も血塗れということは、当然、
旦那は無傷ではないだろう。
魚を捌き終えてから片付けたと言ってい
るが、何を片付けたのかを想像すると背
筋が寒くなる。

STORY 023

鈍行列車

忙しい毎日に追われ疲れきった俺は、のんびりとした旅を楽しみたくて、鈍行列車に乗って温泉地へ向かう。

平日の昼間なので車内はガラガラ。

子ども連れの母親や、大学生らしい若者や老人が数人いるだけ。

列車が発車する。

徐々にスピードを上げていく。

子どもが甲高い声を上げると、あちこちでざわめきが起きる。

何駅も通過したあと、劈くような音がしたとき、目的地が変わったのだと覚悟した。

鈍行列車はスピードが遅い列車のことではなく、各駅列車のことを指すのだから、何駅も通過するということは列車に異常があるということ。
語り手が、劈くような音のあとで、目的地が変わったのだと覚悟したというところからも、列車事故が起きてしまったのだろう。

STORY 024

逃走犯の末路

全国指名手配され、海辺の田舎町まで追い詰められた俺は、警察がこの地から去るまで、地元の人間ですら近づかない岩場にある洞窟に身を隠すことにした。

食糧と水は数日分ある。

誰もここには来ないのか、手つかずの自然そのまま。

上にも下にも壁にも海藻がはりついていたり、フジツボがびっしりとくっついていた。

「ここなら誰も来ないだろう」

男は安心して眠りについた。

逃走犯が逃げ込んだ洞窟は、上にも下にも壁にも海藻がはりついていたり、フジツボがびっしりとくっついていたりした。
ということは、岩場にあるこの洞窟は満ち潮になると、海に沈んでしまうことを示している。
安心して眠ったら最後、生きて洞窟から出られなくなっているかもしれない。

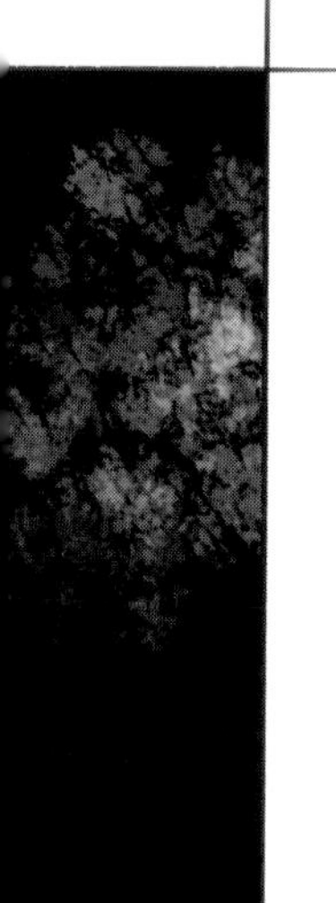

STORY 025

建て付けの悪い蔵

私の家には立派な蔵があるが、重々しい扉は常に半分開けてある。
なぜなら、一度閉めてしまうと、専門の業者が数人掛かりで作業しないと開かないから。
なので、大したものは入れていない。
近所で空き巣や強盗が多発しているけれど、この蔵がカモフラージュになっていて我が家のほうには泥棒が入ったことがない。
ある日、蔵の扉が閉まっていた。
たぶん近所の悪ガキが悪戯したのだろう。
今のところ蔵の中のものを使う予定はないし、専門業者を呼ぶにも金がかかる。
私はとりあえず、そのまま放置することにした。

普段（ふだん）は半分ほど開けられている蔵の扉が自然に閉まることはないのに、なぜ閉まっているのか。単に外から扉を閉めただけとは思えない。子どもの悪戯にせよ、蔵の中身が目当ての泥棒にしろ、誰かが侵入（しんにゅう）した可能性が高い。一度閉めたら自分一人の力では開けることができないのだから、助けを待つしかないものの、語り手は蔵の中のものを使う予定がないのでそのまま放置するという。
次に開けられたとき、見るも悍（おぞ）ましい光景が広がっていることであろう。

庭

娘が花の種を貰ってきた。

「お庭で育てていい？」

庭の土はよく肥えているし、きっと種も元気に育つだろう。

私は娘が自分で育てることを条件に許可した。

「ママ！　メが出た！」

「ママ！　ハが出たよ！」

「ママァ〜！　ハナが……ハナがぁぁ！」

逐一報告してくれる娘の顔は恐怖でひきつっていた。

「メが出た」「ハが出た」「ハナが……」
というのは、庭から目や歯、鼻が発掘(はっくつ)さ
れたということ。
母親が誰(だれ)かを埋(う)めたお陰(かげ)で肥えた庭の土
を、娘が掘(ほ)り起こしてしまったようだ。

STORY 027

霊が視える

「お前って霊感があるんだろ?」
「ちょっとだけな」
「俺の守護霊とか視える?」
「あー……着物着た婆さんが視えるよ。白髪の背の小さい……」
「それ、曽祖母ちゃんだわ! ほんと視えるんだな」
「あの人の背後には恨めしい表情をした色白の女性が立ってる」
「それはヤバイ霊じゃね?」
「たぶんよくないヤツだね。あ、あっちもだ。黒いセーター着てる女の後ろ。血走った目をした男が女の首絞めてるよ」
「うわー……ぬぉっ! 俺にも視えた!」
「普通の人にも視えるってことは相当霊力が強いから、あの女、ヤバイんじゃないかな」
「え? とり殺されるってこと?」

女の首を絞めている目の血走った男の姿は、霊感のない普通の人にも視えていることから、この男女は実物。
このまま霊だと思って見殺しにした結果、彼女(かのじょ)に恨まれ、とり殺されてしまうのも、仕方がないだろう。

STORY 028

薬

どんな薬でも作れる科学者のもとに、とあるスパイが訪れた。
「俺を透明にしてくれ」
「やめておいたほうがいいと思いますよ」
「お前でも無理か」
「作れますけど、あなた消える覚悟があるんですか？」
「当たり前だ」
「男に二言はありませんね？」
「もちろんだ」
薬を飲んだ瞬間、絶叫をあげるスパイ。
彼の体はあっという間になくなった。

科学者が、透明になりたいというスパイに渡した薬は、あくまでも、「スパイの体を消す」ことを目的とした薬であり、その生命までは保証していない。

溶けてなくなろうが、死んでしまって魂だけになろうが、スパイが依頼した薬には間違いない。

STORY 029

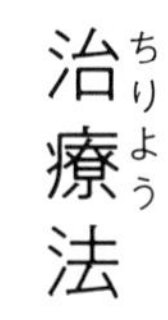

治療法

僕は小さな頃から体が弱くて、重い病気にかかっている。
だから、いつもベッドで寝てばかり。
外でなんか遊んだことがない。
けど、僕の病気を治せるかもという医者をパパが見つけてくれたんだ。
パパは僕を車に乗せてその病院に向かったんだ。
でも、あまりに急ぎすぎて、途中で事故っちゃって。
救急車で別の病院に運ばれたんだけど、お陰で僕、今はとっても体が軽いんだよね。

息子の病気を治すことができる医者を発見し、せっかく希望が見えたというのに、早く医者に診せようと父親が急ぎすぎたがために、交通事故を引き起こしてしまったという悲劇。
人の運命とは儚いものです。

STORY 030

誘拐（ゆうかい）

子どもが誘拐された。
目撃者（もくげきしゃ）も犯人からの連絡（れんらく）もなく、手掛（てが）かり一つないまま十日が過ぎた。
もう見つからないのかと諦（あきら）めかけていたとき、足首が切断され、滅多刺（めったざ）し状態の子どもの写真と「治療（ちりょう）してほしければ金を用意しろ」という手紙が届いた。
一刻の猶予（ゆうよ）もないので、言われたとおりにする。
次の日。
包帯が巻かれた写真が届いた。
治療されたのだとホッとしたものの、それから何の音沙汰（おとさた）もなくなった。
一年後、元気に走り回る少年の写真が届いた。
子どもは未だ帰ってきていないが、両親は無事に生きているのだと歓喜（かんき）した。

治療した証拠として写真を送ってきているが、いくら義足の技術が発展したとしても、足首を切断された子どもが、一年やそこらで走り回れることはない。

となると、走り回っている写真や、包帯が巻かれた写真は、最初に送られてきた滅多刺し状態の脅迫写真よりも前に撮影されたもの。

誘拐犯が、「子どもを帰してほしければ」ではなく、「子どもを治療してほしければ金を用意しろ」と言ったのは、その時点ですでに子どもが死んでいたからなのだろう。

残虐非道にもほどがある。

STORY 031

ひき逃げ

バイクで見通しの悪いカーブに差し掛かったとき、凄まじい衝撃を受けた。
その途端、頭が真っ白になり、それからの記憶がない。
目覚めると病院。
近くにいた看護師に状況を尋ねると「ひき逃げよ」と冷ややかに言われた。
愛想のない看護師にムッとしたが、それよりも無事に生きていることを喜んだ。

語り手は、「ひき逃げ」されたのではなく、「ひき逃げ」した加害者の立場。
物損でも人身でも、事故を起こした本人がパニックになり、頭が真っ白になった挙げ句、さらなる事故を引き起こしてしまうことは多々ある。
語り手もきっと、人を撥(は)ねてしまったショックで正気を失い、そのまま走り去ったあと、何かしらの事故を引き起こし、病院に搬送(はんそう)されたのだろう。

第3章

凶

MADNESS

STORY 032

過疎地の医者

　過疎地で働く医者の取材で、小さな島にある唯一の診療所を訪ねた。
「先生は外科も内科も獣医も、あらゆる治療をしているとお聞きしましたが」
「ええ。島には私一人ですから。独学で学んだ知識を使ってどんなものでも対応できるようにしています。解剖だって、魚、家畜、人、と何百回とやってきましたし」
「大きな病院で働きたいとは？」
「思いませんよ。私にはここがピッタリなんです」
　とても患者思いのいい医者だと思ったが、その記事が出たあと、彼は消息を絶ってしまった。

独学で学んだ知識では医者にはなれないので、この記事を読んだ誰(だれ)かが、無免許(むめんきょ)医師であることを告発し、彼(かれ)は逮捕(たいほ)された。
それにしても、インタビューで、「魚、家畜、人を何百回と解剖してきた」と得意満面で答える彼は、サイコパスなのかもしれない。

STORY 033

妻子

結婚した同僚の家に遊びにいくと、同僚が玄関まで出迎えてくれた。
妻はどうしたのかと聞くと、子どもが熱を出したので奥で看病しているという。
どんな人なのかせめて見せてくれと頼むとこっそり覗かせてくれた。
背中しか見えないが、なにやら子どもと喋っている様子。
そのときにいきなり停電になった。
プツリと途切れる妻子の会話。
それから一切動くことのない二人。
もしかして……俺は同僚にこれ以上妻子のことについて触れないことにした。

停電と同時に動きも会話も止まってしまう妻子は、間違いなく人ではない。
結婚したと見栄を張りたいがために、ロボットを購入したのか。
それとも、結婚したあとに何らかの理由で妻子が彼の元を去ったものの、そのことを知られたくなくて、ロボットを妻子に見立てたのか。
もしくは、ロボットのことを本気で愛しているのか。
理由がどうであれ、ロボットを妻子だと紹介する同僚の精神状態が心配だ。

STORY 034

痴話げんか

「ただいまー」
『おかえり。遅かったね』
「ごめんね。残業で遅くなっちゃった」
玄関の電気をつけて部屋の中に入る彼女に、つい苛立った声を出す。
『本当は男と一緒だったんだろ』
「私にはあなただけよ」
俺はハッとしてモニターの画面を凝視した。
真正面に映し出されている彼女がニッコリと微笑んだ。

「　」内の台詞は、盗聴、盗撮されている女性のもの。
『　』内の台詞は、盗聴、盗撮しているストーカーのもの。
けれど、実際には、ストーカーされていることに気がついている女性が、ストーカーをストーカーしているというオチ。
上には上がいるものです。

STORY 035

ストーカー

「ずっと君を見ているよ」
そんな手紙を受けとるようになったのはいつからだろう?
何もされない、誰(だれ)かも分からない。
警察に言っても、ただ手紙が郵便受けに入っているだけでつけ回されたりしているわけでもないので、まったく取り合ってくれない。
恐怖(きょうふ)に怯(おび)える中、事件は起こった。
私は何者かに襲(おそ)われて失明したが、幸運なことにドナーがすぐに現れて角膜(かくまく)移植をすることになった。
視力が回復し、退院すると郵便受けにまた手紙が入っていた。
「これからはずっと君と同じ景色を見られるよ」
私は目玉を抉(えぐ)りたい衝動(しょうどう)に駆(か)られた。

手紙に書かれた、「これからはずっと君と同じ景色を見られるよ」という文章は、語り手の目に移植した角膜が、ストーカーのものであることを示している。
角膜のドナーが見つかったタイミングからして、彼女(かのじょ)を襲い、失明させたのもストーカーの仕業(しわざ)。
自分の目玉を抉りたくなる気持ちは分かる。

STORY 036

カットモデル

バイトを探していると、物凄く高給な仕事があった。
内容はカットモデル。
容姿不問。
未経験者歓迎と書いてある。
ちょうど髪も伸びてきて切ろうと思っていたので早速電話をすると、すぐに面接に来てくれと言われた。
綺麗なオフィスで社長面接。
簡単な質疑応答後、「最期にどんな風になりたいか聞かせてくれる?」と言われた。
「サッパリ軽やかに仕上げてほしいです」
「それはやり甲斐がありますね」
私の返事に笑顔でうなずく社長を見て、採用されたと確信した。

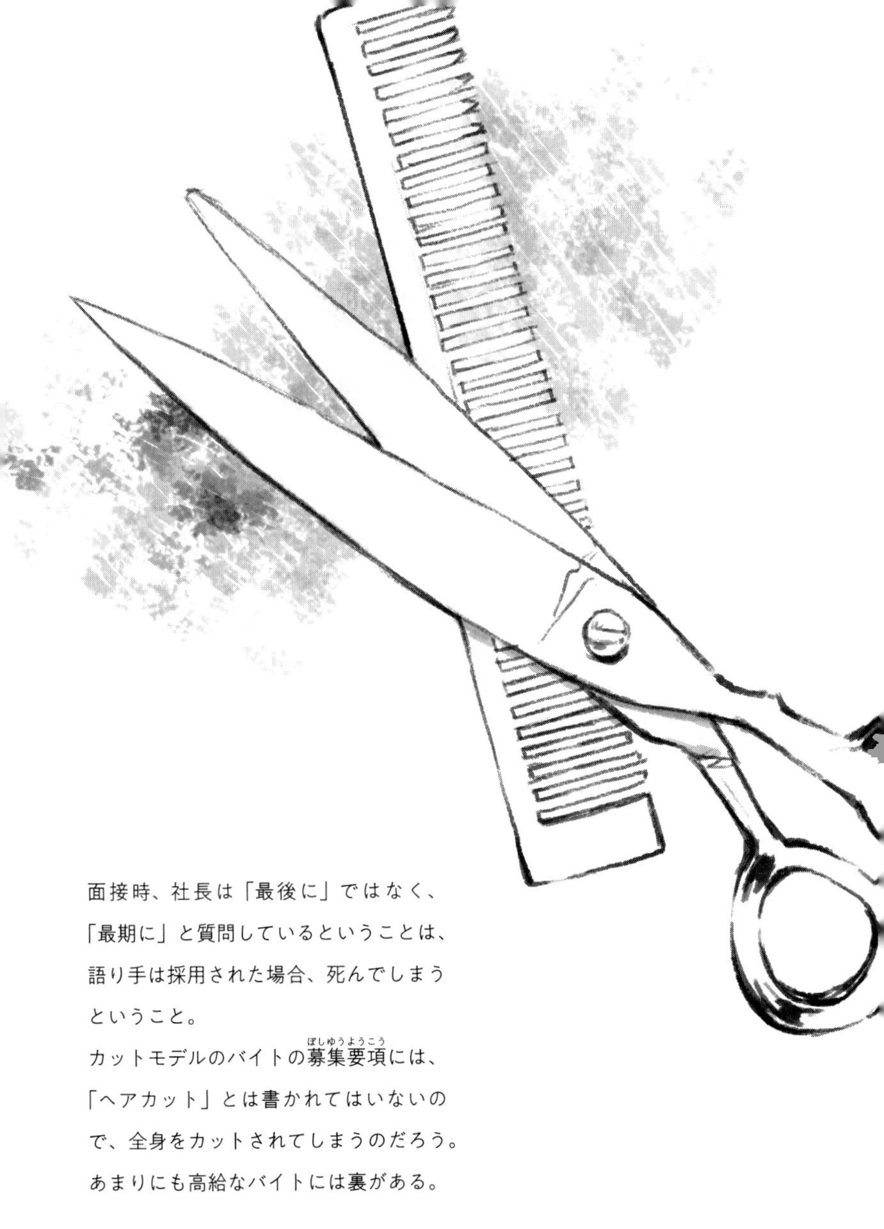

面接時、社長は「最後に」ではなく、
「最期に」と質問しているということは、
語り手は採用された場合、死んでしまう
ということ。
カットモデルのバイトの募集要項(ぼしゅうようこう)には、
「ヘアカット」とは書かれてはいないの
で、全身をカットされてしまうのだろう。
あまりにも高給なバイトには裏がある。

STORY 037

じゅじゅつしゃ

呪術者

呪術者に呪殺依頼(いらい)すると「これらを集めて」とメモを渡(わた)された。
内容は虫や蠟燭(ろうそく)など。その中でコウモリの血は手に入らないので、自分の血を小瓶(こびん)に入れた。
集めた物を確認する呪術者は、小瓶の中身を舐(な)めると顔をしかめた。
「ダメだ。これ貴女(あなた)の血でしょ」
プロだけあって誤魔化(ごまか)しがきかないようだ。

少し舐めただけで、なぜ呪術者は小瓶の中身がコウモリの血ではなく、依頼者の血だと分かったのか？

百歩譲って、コウモリと人の血の違いは分かっても、それが誰のものか、以前に舐めたことがあったとしても、それだけでは普通は分からない。

呪術者は人ならざる者なのでしょう。

STORY 038

本来の名前

幼馴染み（おさななじみ）の理恵（りえ）は、昔からお気に入りの物に名前をつけて呼ぶ。
大人になっても椅子（いす）や鞄（かばん）、靴（くつ）など、身の回りの物を「まーくん」「なほこ」「みっちゃん」と呼んでいる姿はかなりイタいので注意すると、「本来の名前で呼んでるだけだよ」と反論した。
よくよく見ると彼女（かのじょ）が名前で呼んでいるものは全て革製品だった。

革製品につけられた名前は、本来の名前だというのだから、素材そのもの……すなわち使われている皮（皮膚）の持ち主の名前。
人皮装丁本は現存しているので、もしかしたら人の皮で作られた鞄や椅子なんかも過去には作られたことがあったのかもしれない。ただ実際に身の回りに置きたいと思う人はいないだろう。

STORY 039

妻の不安

頭に血がのぼりやすい俺を、我慢強く支えてくれる妻の様子が最近おかしい。
どんどんやつれていくし、そこらじゅうアザだらけ。
しかも、やたらと「私のこと愛してる?」「私が居なくなったら困る?」と聞いてくる。
俺は妻のことを愛しているし、彼女が居なくなったら困るに決まっている。
カッとなりやすい俺を鎮められるのは彼女しかいないんだから。

妻は語り手からＤＶを受けているが、加害者である彼は、それに気がついていない。
ＤＶを行う人の中には、自分が暴力を振るっているという意識がなく、なんでも自分の都合のいいように解釈する人もいるようだ。しかし暴力によって人をコントロールしてしまう洗脳とも呼べる行為は、無意識だとしても許しがたい。

STORY 040

合コン

私は学生時代ストーカーに遭っていた。
犯人も結局誰なのか分からず、それ以来男性は怖くて苦手。
そんな私を心配して、友人が合コンをセッティングしてくれた。
誰とも付き合う気はなかったが、一人だけ、食事の好みも趣味も合う人がいた。
会話も弾み、連絡先も交換した。
「家まで送るよ」
私を車に乗せた彼は、カーナビの登録地点を選び、車を走らせた。

合コンで出会ったばかりの人が、なぜ語り手の住所をカーナビに登録しているのか。
学生時代にストーカーに遭っていたという語り手。
ストーカーならば、食事の好みも趣味も把握（はあく）しているはずなので、会話が弾んだのもうなずける。
語り手がストーカーだと気がつかなければ、二人とも幸せになれるのかもしれない。

STORY 041

喫煙スペース

駅の喫煙スペースでタバコを吸っていると、綺麗な女性が入ってきた。
目が合うと、彼女は俺の手元を見て微笑んだ。
「一本くださる？」
相手は美人だし、これを機に仲良くなれるかも……という下心から快諾した。
胸ポケットからタバコを取り出そうとした瞬間、俺の指に凄まじい衝撃が走った。

綺麗な女性が「一本くださる？」と言ったのは、語り手が持つタバコではなく指。見ず知らずの人に突然何かを頼まれたときには、注意が必要なのかもしれない。

STORY 042

プロポーズ

同棲（どうせい）して三年になる彼氏（かれし）から「大事な話がある」と言われた。
ドキドキしながら彼の言葉を待つ。
「僕（ぼく）は毎朝、目が覚めたときに君が隣（となり）で寝（ね）ている姿を見ると幸せな気持ちになる。だから、これからずっと、僕の隣で寝てほしい」
プロポーズにしては少々物足りないけれど、ヘタレな彼にしては頑張（がんば）ったと思う。
私が「はい」と答えたと同時に、彼は懐（ふところ）から銀色に光る物を取り出した。
私は彼の言葉の意味をそこで知り、悲鳴を上げた。

彼からのプロポーズは「ずっと一緒(いつしよ)にいよう」でも、「一生隣で笑っていてほしい」でもなく、「これからずっと、僕の隣で寝てほしい」というもの。
つまり彼は、語り手に永遠の眠(ねむ)りについてほしいということ。
プロポーズの言葉は、きちんと理解してから返事をしなくてはならないようだ。

STORY 043

調査隊

獰猛な野生動物が生息する森の調査に、俺は二人の仲間とやってきた。
夜行性の動物が多いので、右手にいざというときのためにサバイバルナイフ、左手に懐中電灯を持って、深夜の森の中に入る。
小さな猿やコウモリが木の上にいる。
顔を上に向けて彼らの様子を窺っていると、背後で突然大きな音がした。
びっくりして振り向きざまに右手を振り下ろす。
すると、仲間の一人が消えてしまった。
もう一人の仲間は悲鳴を上げて一目散に逃げた。
俺はすぐさま彼の背中を追い駆けた。

語り手は、びっくりした拍子にサバイバルナイフを持つ手を振り下ろしてしまったがために、仲間を殺してしまった。
故意でやったわけではないにしても、自分たち以外は誰もいない森の中で、仲間殺しを目撃してしまったもう一人の仲間が、恐怖を感じるのは当たり前。
一目散に逃げる彼を追い駆ける語り手は、口を封じる気満々のことだろう。

STORY 044

鍋(なべ)

夕飯の支度をしている最中、調味料が足りないことに気がついた。
仕込(しこ)み中だったので、途中(とちゅう)で鍋の火を止めるわけにもいかない。
娘(むすめ)に「ちょっと買い物に行ってくるから鍋の様子を見てて！　他は触(さわ)らなくていいからね」と言ってスーパーへ急いだ。
こういうときに限って、知り合いに会ったり、レジが混雑していて時間がかかる。
家に着いたのは一時間後。
我が家が真っ赤に燃えていた。

娘は母親の言いつけどおり、鍋をただひたすら見ていただけ。
汁（しる）がなくなり、空焚（からだ）きになり、そして火事になっても、「他は触らなくていいからね」と言われているので、コンロのスイッチすら触らなかったのだろう。
言われたことしかできない、やらないといった人が増えているが、せめて状況（じょうきょう）判断だけはしてほしいものです。

STORY 045

被害者写真

昨日、仕事でガス警報器の点検に回っていた。
すると、ある家の奥様だけ、ボサボサ頭に汚い格好をしていた。
点検中もやたら監視するような目で見てくる。
気味が悪くて手早く終わらせたんだけど、今朝、その家の奥様が殺害されたニュースが流れた。
何にビックリしたって、報道された写真。
化粧であぁも変わるんだなと思ったら、女が信用できなくなった。

ガス警報器の点検に訪れた家で、語り手を監視するような目で見ていたのは、殺された奥様ではなく別人。
ボサボサ頭に汚い格好をしていたのは、この家の奥様と揉み合いになり、殺害した後だから。
もしも、語り手が殺人に気がついていたら、下手したら彼も殺されていたかもしれない。

STORY 046

エレベーター

友人のマンションで宅飲みし、終電の時間になった。

エレベーターに乗ると途中で停止した。

扉が開くと、物凄い形相をした女が包丁片手に奇声を上げて入ってこようとした。

俺たちは気が狂った女に殺されると思い、彼女の腹を蹴りあげ、女が尻餅をついたところで「閉」ボタンを連打した。

全員怪我もなく無事に帰宅できたけど、翌日、マンションで女性が滅多刺しにされて発見されたらしい。

あのとき警察に通報しとけばよかったな。

語り手が殺されると思ってエレベーターに乗せなかった女性は、翌日滅多刺しで発見された被害者。
彼女が物凄い形相をして、包丁片手に奇声を上げてエレベーターに乗り込もうとした理由は、犯人に追いかけられていたから。
実際、刃物を持った人間が突進してきたら、語り手と同じような行動をとってしまうだろう。

第4章

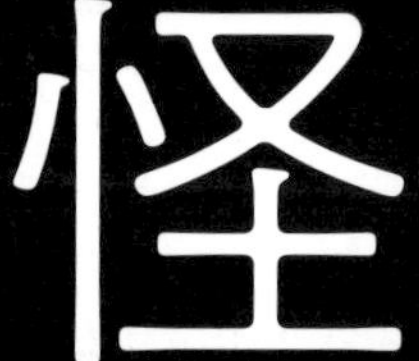

STRANGE

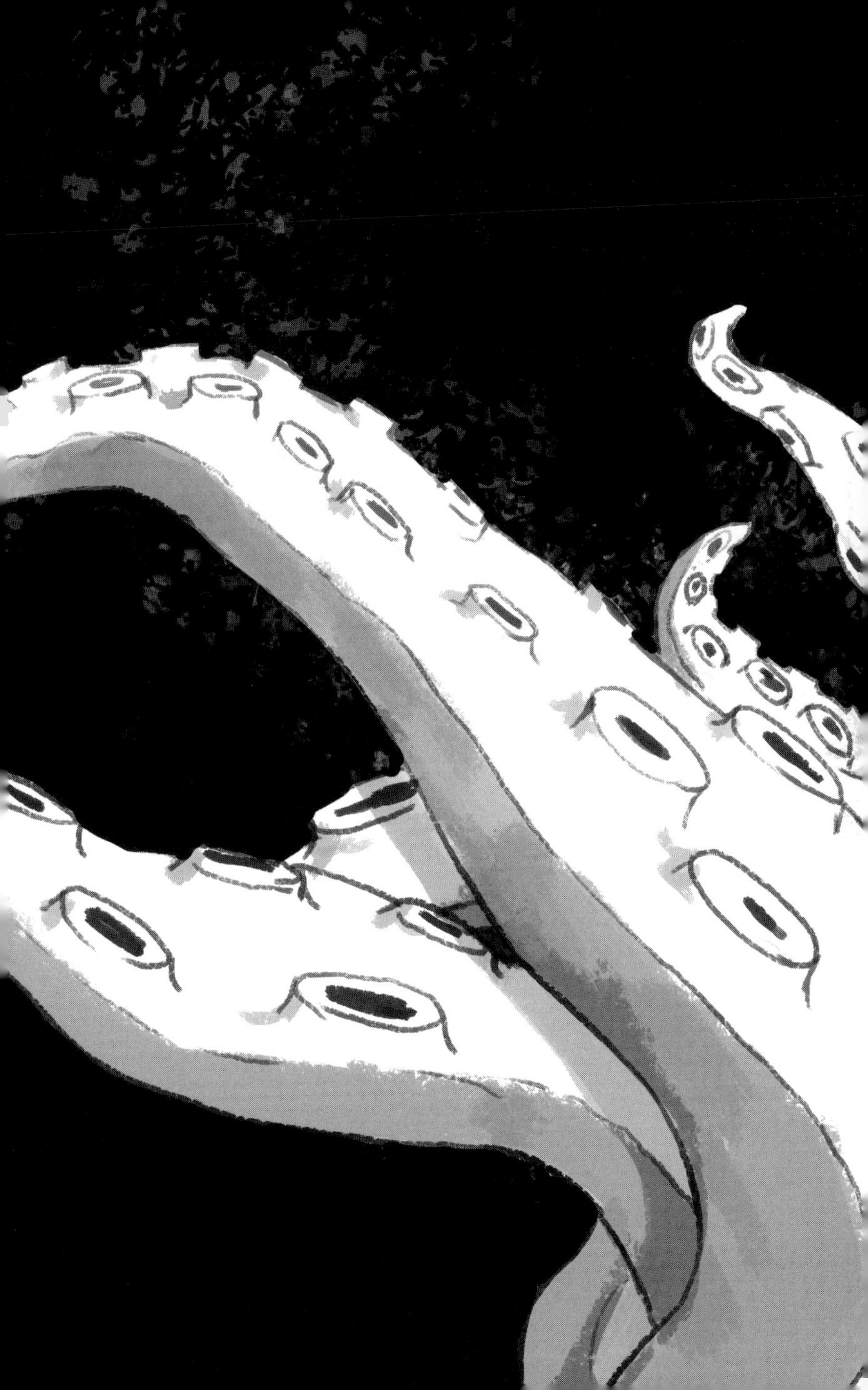

STORY 047

魔の峠

ここ数年、奇怪なことが起きている。

走り屋仲間がO峠を走ったあと、皆、怯えた顔をして「もうあの峠だけはこりごりだ」「車には当分乗れない」と言う。

理由を尋ねると、皆、口を揃えたように「魔物がいる」「光るんだよ。目が……」と言う。

俺は事実を確かめるため、深夜にO峠を猛スピードで走った。

特に何もないまま峠を越えようとしたとき、突然、眩しい光が俺を襲った。

俺は魔物の正体を知り、後日届く呪いの手紙を覚悟した。

猛スピードで車を走らせると光るものとは何か。
それは、オービス（速度違反自動取締装置）。
後日届く呪いの手紙は、速度違反(いはん)の通知書。
ある意味、幽霊(ゆうれい)やお化けなんかよりも怖(こわ)いものかもしれない。

STORY 048

異世界への入口

うちの学校にはなぜか、二階への踊り場に大きな姿見がある。
なんでも、十四時十四分にその前に立つと異世界に行けるんだとか。
その時間は授業中なので誰も試したことはないのだが、入学当初から気になっていた俺は、夏休み直前、保健室に行くフリをして踊り場の鏡の前に立った。
時報を聞きながら十四時十四分ジャストに鏡の中の自分を見つめるが、別に何も起こらない。
「やっぱデマか」
窓から、運動場にいる上下紺色のジャージ姿の生徒たちを見て、溜息を吐いた。

語り手が踊り場の鏡で異世界へ行くのを試した時期は夏。
鏡を見たあとで、何も起きなかったことにガッカリしているけれど、運動場にいる生徒たちは、夏なのだからハーフパンツに半袖(はんそで)の白い体操服を着ているはずなのに、上下紺色のジャージ姿。
彼(かれ)は気がつかないうちに異世界へと入り込(こ)んでしまったようだ。

鏡

「鏡に向かってお前は誰だって連呼すると、精神が崩壊するんだってよ」
「そんなわけねーだろ。俺がやってやるよ」
「晶ならそう言ってくれると思ったよ」
「お前は誰だお前は誰だお前は誰だ……」
「で、お前は？」
「僕は大石晶だよ」
「やっぱデマか」
「当たり前でしょ。こんなんで頭おかしくなるわけないじゃん」

友人に挑発されて、精神が崩壊するかもしれない鏡の実験にチャレンジした大石は、いつの間にか口調が変わっている。精神が崩壊したというよりも、別の人格が生まれてしまったのか、もともと持っていた別人格が出てきてしまったのか……

皆さん、くれぐれも真似しないように。

STORY 050

来客

就職で田舎から東京に出てきてから早五年。
日々忙しくて、実家に顔を見せに帰ることすらできずにいたが、その甲斐あって、セキュリティばっちりのタワマンで暮らせている。
ある日、母からこっちに来るという連絡が来た。
たぶん俺のことを心配しているのだろう。
俺は待っていると伝えた。
当日。
「開けてー」という声が聞こえた。
「もう来たのか」
俺は玄関のロックを解除しようとして、その場で固まった。

セキュリティばっちりのタワーマンションなら、多重のオートロックシステムが設置してあり、エントランスやエレベーターでもキーが必要だったりする。
当然、エントランスで訪問する部屋番号を押して、ロックを解除してもらう必要があるのに、玄関まですんなり来てしまった。
彼の部屋の前にいるのは、本物の母親ではなさそうだ。

善人

天災に大気汚染、戦争に食糧難。
混沌とした時代の中、神が現れた。
「善いことをした者だけを幸せにしてやろう」
神の言葉に皆、こぞって自己アピールをする。
「私は医者だ。何人もの患者を治した」
「俺は教師で、たくさんの子どもたちに知恵を授けてきた」
「僕はレスキュー隊で人々の命を救ってきた」
けれど、神は首を横に振る。
「俺は戦争で、多くの人の命をこの手で奪った」
懺悔する彼に神は手をさしのべた。

神が人の命を救い、人のためになること
をしてきた者ではなく、人殺しを助けた
のはなぜか。
神という存在は人のためだけにいるわけ
ではない。
地球規模で考えると、大気汚染に戦争、
食糧難といったものを引き起こしている
人間を減らした人こそが、善人だと思わ
れても仕方がないのかもしれない。

STORY 052

停電

駅からの帰り道で、急にスコールのような大雨が降り出した。
俺は慌ててマンションへ向かって駆け出した。
自動ドアを抜け、エントランスに入ったところで、大きな雷鳴が響き渡った。
その途端に真っ暗になる。
「停電か……」
俺は目の前で開いては閉じるを繰り返すドアを見て、寒気がおさまらなくなった。

誰も出入りしていないのに自動ドアが開閉するのも薄気味悪いが、停電なのに、自動ドアが開閉を繰り返すのはもっと怖い。

STORY 053

部屋間違い

駅前に新しく建ったマンションは八階建て。
その最上階に姉夫婦が部屋を買った。
引っ越し祝いに呼ばれ、俺は姉が好きなシャンパンとケーキを手土産にやってきた。
エントランスで姉の部屋の番号を押す。
「はい」
しわがれた男の声が応えた。
旦那さんのものとも違う。
戸惑った俺は「太田さんのお宅ですか？」と尋ねると「違います」と言われた。
よく見ると９０９を押していた。
俺はすぐに謝って、８０９号室のボタンを押した。

マンションの部屋番号は、たいてい頭の数字が階数を示しているので、八階建ての場合、900番台の部屋は存在しない。語り手が押した番号は、一体どこの誰(だれ)に繋(つな)がったのだろう？

STORY 054

防犯カメラに映るもの

ファミレスのとある店舗（てんぽ）で、オーブンの中から女性の焼け焦（こ）げた死体が発見された。

幸いなことに調理場にも防犯カメラが設置してあったので、事件の経緯（けいい）や犯人がすぐに判明するかと思ったのだが、録画された映像は衝撃的（しょうげきてき）なものであった。

そこには、どこから入ってきたのか、小さな女の子が調理場をキョロキョロと見渡（みわた）すと、真（ま）っ直（す）ぐにオーブンへと駆（か）けていった。

そして、何やらボタンを弄（いじ）ったあとでオーブンの中に入り、自ら扉（とびら）を閉めたのだ。

店長はもちろん、警察もあまりにもショッキングな映像に絶句した。

防犯カメラには、オーブンに自ら入って
扉を閉めた少女が録画されているが、オ
ーブンから発見されたのは女性の遺体。
子どもの悪戯(いたずら)による痛ましい事件として
処理することはできなさそうだ。

STORY 055

お化け屋敷

遊園地で彼氏とお化け屋敷に入った。
怖がりな私は、彼の右腕にギュッとしがみつき目を瞑った。
不気味な音や時折吹き掛けられる冷たい風にビクリと体を震わせる。
「大丈夫。怖くないよ」
彼が私の右耳に囁くけれど、逆効果。
その生温い息ですら怖くて、思わず悲鳴を上げてしまった。

彼の右腕にしがみついているのだから、
彼が右耳に囁くことは体勢的に無理がある。
二人が入ったのは、リアルお化け屋敷なのかもしれない。

STORY 056

辛気臭い顔

婚約者から、他の女を好きになったから別れてくれと言われた。
彼とは同じ職場。
すでに上司や同僚たちにも結婚することは伝えてあった。
会社でも実家でも、婚約破棄された私は腫れ物扱いされる。
精神的苦痛から食欲もない。
鏡を見るとげっそりと痩せこけた自分の顔。
「こんな顔してたら、そりゃ同情されるわよね」
笑顔を向けても、表情がなく、辛気臭い顔のままの自分に溜息をついた。

表情を変えれば、鏡に映る自分の表情も変わる。
けれど、鏡に笑顔を向けても、表情のない辛気臭い顔ということは、彼女がおかしいのか、鏡がおかしいのか。
今、鏡に映っている姿は、本当にあなた自身で間違(まちが)いないですか？

妹

おねだりした甲斐があって、パパとママが私に妹をくれた。
名前は絵理。
私が友理だから、姉妹だってすぐに分かる名前をつけたの。
でもこの子ったら、よく泣くし、よく食べるし、すぐに私のあとを付いて回るから、面倒を見るのも大変。
ママに手伝ってとお願いしようと思ったけど、それは絶対に無理。
だって、前に犬が欲しいって言ったとき、生き物は私一人で面倒が見られないから駄目だと言われたんだもん。
ここで、ママに頼ったら叱られちゃう。
妹なんて面倒なもの、貰わなきゃよかった。

母親が彼女(かのじょ)の妹となる女の子を産むことはできても、妹を我が子にあげることはできない。
どこからか子どもを買ったのか、さらってきたのかは分からないが、いくら愛する娘(むすめ)におねだりされたとはいえ、人の子どもを我が子に与(あた)えるという両親の異常さに狂気(きょうき)を感じる。

STORY 058

目隠し

キッチンで夕飯の支度をしていると、突然背後から視界を塞がれた。
野菜を切っていたので、ビクリと肩が震えた。
「だーれだ」
可愛い声と、瞼に当たる小さな掌で、すぐに答えは見つかる。
娘の名前を口にすると、楽しそうな笑い声を上げて「バレちゃったー！」と手を離す彼女。
振り返り、まだ幼い彼女の目線に合わせるようしゃがむと、「ママが包丁使ってるときは悪戯しちゃ駄目よ」と言い聞かせた。

しゃがまなければ目線を合わすことができないほど小さな娘が、立っている大人の背後から目隠しできるわけがない。
娘は特殊(とくしゅ)能力を持っているのかもしれない。

STORY 059

甦り

よみがえ

学校へ行く途中で、交通事故に遭って死んだ俺は、三途の川の河原らしきところを歩いていた。
「生き返りたいか？」
三途の川の渡し船の船頭が言った。
当然俺はうなずく。
「死ぬ五分前に戻してやろうか？」
事故に遭う道路を通らなければ死なずにすむ。
五分もあれば余裕だ。
俺は勢いよくうなずいた。
この世に戻った俺は、意識が朦朧とする中、周囲が慌ただしく動き回る光景を目にしたのだった。

交通事故で死亡した語り手は、死ぬ五分前に生き返ることができれば、交通事故を回避できると思ったが、彼は即死ではなかったがために、事故に遭遇してからの状態で生き返ってしまった。
同じ死を二度も繰り返す羽目になった語り手は、結局のところ生死を選択できるわけではなかったのだと悟った。

STORY 060

解任騒動(そうどう)

「社長がカイニンしたらしいぞ！」
繊維(せんい)業界の景気はあまりよくないが、そんな中でもうちはネームバリューもあって、経営は安定していた。
にもかかわらず解任ってことは、脱税(だつぜい)か何かしたのだろう。
「シキュウタイオウするらしいけどな」
「困ったことになったな」
「辛(つら)いのは社長だよ。なんせ、まさかのカイコだからな」
解任どころか、解雇(かいこ)。
余程のことをしでかしたらしい。
翌朝、ぽっこりとしたお腹を擦(さす)りながら出社した社長を見て、俺(おれ)は背筋が凍(こお)りついた。

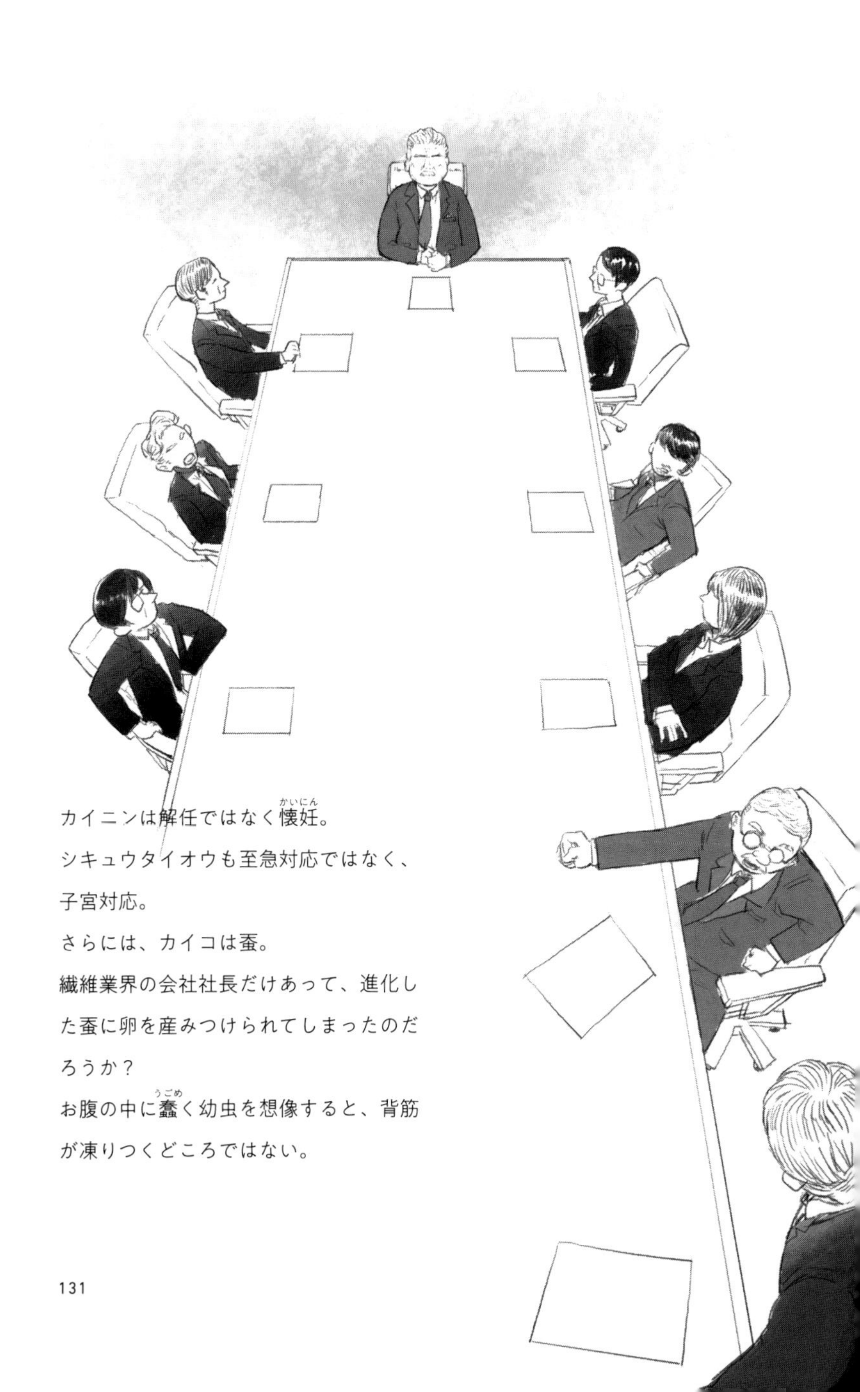

カイニンは解任ではなく懐妊(かいにん)。
シキュウタイオウも至急対応ではなく、
子宮対応。
さらには、カイコは蚕。
繊維業界の会社社長だけあって、進化した蚕に卵を産みつけられてしまったのだろうか？
お腹の中に蠢(うごめ)く幼虫を想像すると、背筋が凍りつくどころではない。

STORY 061

丁寧（ていねい）な対応

出張先で体調が悪くなった。

朝イチで得意先の人に教えてもらった、地元で人気の病院へ駆（か）け込（こ）むが、この時期、インフルエンザが猛威（もうい）を奮っていたので混雑していた。

熱でフラつく中、受付前にできた列に並ぶこと十分。

ようやく自分の番が来た。

「近藤（こんどう）さん、保険証は持ってますか？　どのような症状（しょうじょう）か分かる範囲（はんい）で教えていただけますか？」

慌（あわ）てて財布の中から保険証を取り出し、今の状態を説明すると、倒（たお）れそうな俺（おれ）を別室に案内してくれた。

丁寧な対応に、この病院が人気なのもうなずけた。

出張先で体調を悪くし、得意先の人に教えてもらった病院ということは、語り手にとって初めて行く病院。
それなのに、保険証を受け取る前に、受付の人が語り手の名前を呼べるのはなぜだろう？

STORY 062

妊娠発覚

バレンタインデーの日。

仕事から帰宅すると、最高のプレゼントが待っていた。

「妊娠五週目だって」

結婚して五年目。

子どもは授かりものとはいえ、そろそろ治療も視野に入れようと思っていただけに、喜びもひとしお。

「予定日は五月十五日よ」

「でかした！」

嬉しさのあまり、思わず妻に抱きついた。

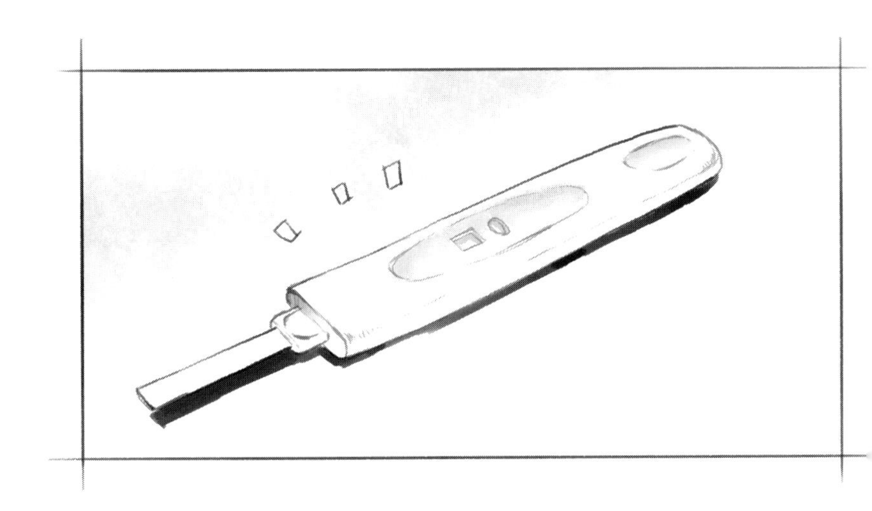

人の妊娠期間は、出産まで約十ヶ月。
二月で妊娠五週目なのに、五月が出産予
定日だというのはありえない。
妻は一体誰の……いいや、何の子どもを
宿しているのだろう？
色んな意味で大騒ぎになりそうだ。

第5章

CODE

STORY 063

教師と生徒の立場

いくら生徒のほうが悪くても、教師は怒鳴ったり、殴ったりすれば体罰事件。少し触っただけでもセクハラ事件となる昨今。

立場は教師よりも生徒のほうが強くなり、教師は常に生徒たちの顔色を窺っていた。

ある日、学力低下と常識のなさに危機感を持った政府が「学校内は治外法権。全て教師の裁量に任せる」という法令を出した。

その日のHRで、散々生徒たちにいたぶられてきた担任が黒板に「3415－1」と書いた。

「隣同士、助け合ってくれ。馬鹿な君たちを社会に出すことは僕にはできないから」

涙を流す彼の顔は、奇妙に笑っていた。

担任が黒板に書いた文字は、「3415－1」。彼が「隣同士、助け合ってくれ」と言っているので、書かれた数字を隣同士足していく。
最初の「３」は左側に何もないので「３」のまま。
次の「４」は左側の「３」と足し「７」。
次の「１」は左側の「４」と足し「５」。
次の「５」は左側の「１」と足し「６」。
次の「マイナス１」は左側の「５」と足して「４」。この答えを続けて書くと「３７５６４」＝「みなごろし」となる。
すなわち、担任は生徒全員を皆(みな)殺しにすると宣言したのだ。

STORY 064

軍事研究所

殺人兵器を開発中の軍事研究所で事件が起きて、大量の犠牲者が出た。
首謀者は所長だったらしい。
軍隊が派遣され、事件を起こした者たち全員の身柄を拘束したあと、何が起きたのか、原因が書かれたメモが大統領に手渡された。
「これが原紙です」
中身を見ると「2.53.16.30.83.63 不完全で会えん。欧州連合は減らせ」と書かれてあった。
まったく意味が分からないが、彼らは後に、怪我をした兵士や犠牲となった研究員たちの処理を早く行わなかったことを後悔することになる。

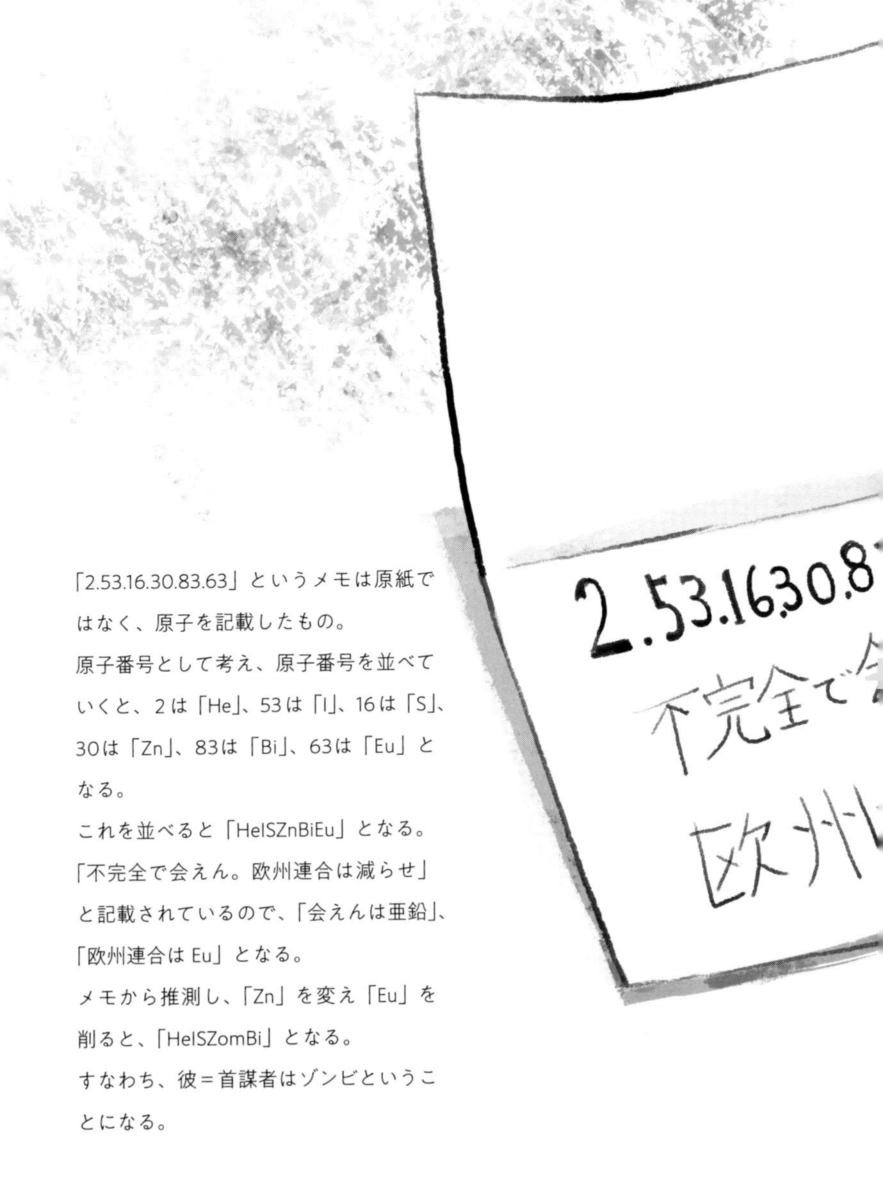

「2.53.16.30.83.63」というメモは原紙ではなく、原子を記載したもの。
原子番号として考え、原子番号を並べていくと、2は「He」、53は「I」、16は「S」、30は「Zn」、83は「Bi」、63は「Eu」となる。
これを並べると「HeISZnBiEu」となる。
「不完全で会えん。欧州連合は減らせ」と記載されているので、「会えんは亜鉛」、「欧州連合はEu」となる。
メモから推測し、「Zn」を変え「Eu」を削ると、「HeISZomBi」となる。
すなわち、彼＝首謀者はゾンビということになる。

STORY 065

姉妹の絆

姉の婚約者を略奪し結婚した私は、勘当された。
ある日、私は進行の早い難病になり、夫は私の家族に連絡をとった。
見舞いに来た両親は姉から預かった品と手紙をくれた。
中身は奇妙なドリンクと、鉛筆で書かれ、不思議な折り目のついた細長いメモ。
「とてつちたもめむみまろれるりらのねぬになほへふひはおえういあのねぬになもめむみま」
メモの内容も気持ちが悪い。
私を恨んだ姉の嫌がらせだと思い、ドリンクをすぐに流してメモも捨てた。
陰でそれを見ていた姉は「姉妹の絆なんてそんなものよね」とつぶやいていた。

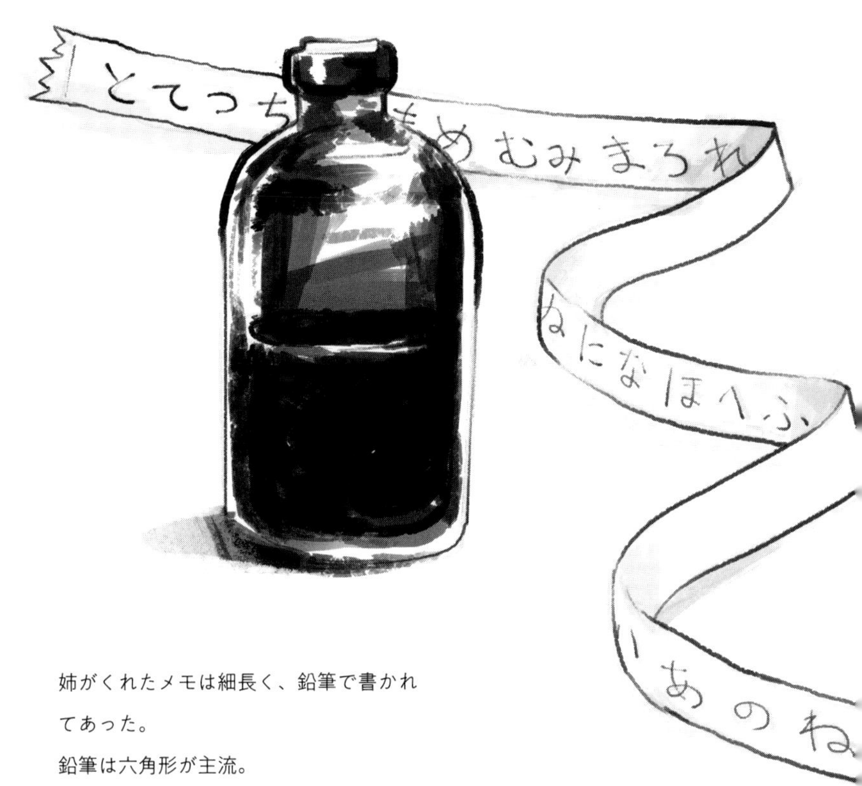

姉がくれたメモは細長く、鉛筆で書かれてあった。

鉛筆は六角形が主流。

そのことを念頭におくと、細長いメモを鉛筆に巻き付けて書いたと推測される。

つまり、六文字ごと読むと真意が分かる。

「【と】てつちたも【め】むみまろれ【る】りらのねぬ【に】なほへふひ【は】おえういあ【の】ねぬになも【め】むみま」

＝「とめるにはのめ」

姉は妹を恨んでいたわけではなく、妹が自分との絆を信じてくれていたら助けたかったのだろう。

妻の遺言

金目当てで結婚した妻が病気をこじらせ入院した。
その後、治療の甲斐なく、彼女は「もう留守にします」と言って他界した。
これで金も時間も自由になると思ったが、妻は俺に遺書を残こした。

「宝島
館ない　寝室　宝の地図　机の内側
戸棚の鍵　さがし　隣の部屋　母の写真　うらに　書いた
お宮にて　すべて　享受す」

遺産を受け取るには宝探しをしなくてはいけないようだ。
面倒だと思ったが、それで全てが手に入るのなら悪くない。
俺は歓喜に震えた。

妻が「もう留守にします」と言っていることがヒント。
遺書を、「もう留守」=「モールス」にする。
つまり、漢字を「・」、平仮名を「—」としたモールス信号に変え、アルファベットとして読んでいくと、「I will follow you」=「あなたについていきます」となる。
宝の地図ではなく、彼女(かのじょ)は永遠に彼の傍(そば)にいることを伝えたかったようだ。

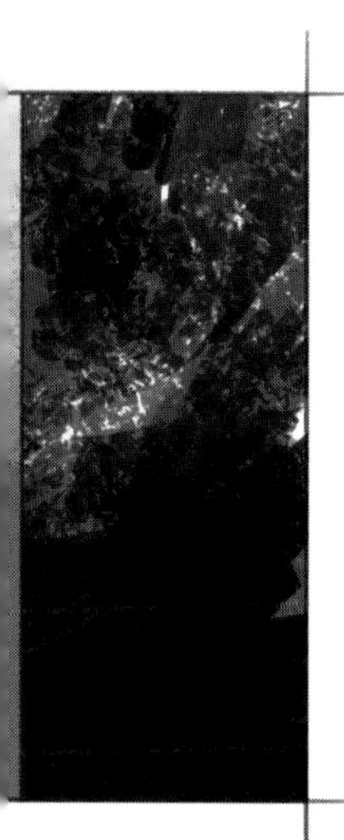

STORY 067

悪霊退治（あくりょう）

某国の王と妃が悪霊に殺され、生き残った姫が幽閉された。
勇者が悪霊を退治しようと城まで来ると、姫の側近が現れた。
悪霊の力で喋れなくされた彼は、箱を差し出した。
中には「1、2、化、令」と書かれた紙が入っていた。
「いち、に、か、れい……いちにかえれ。うちに帰れ？」
側近は苦笑しつつうなずいた。
けれど、勇者は彼の助言も聞かずに城へ入り、二度と出てくることはなかった。

側近は喋れないため、勇者に箱を渡した。
入っていたのは「1、2、化、令」と書かれた紙であるところから、この文字を箱の形をした口（国構え）の中に入れる。
すると、
「1」は「一」として考えると「日」
「2」は「二」として「目」
「化」は「囮」
「令」は「囹」
続けると「日目囮囹」となり、これを声に出して読むと「ひめがれい」＝「姫が霊」ということになる。
すなわち、悪霊は幽閉されていると見せかけた「姫自身」なのである。

STORY 068

マネージャーの後始末

芸能人っていうのは、売れっ子になると調子に乗る。
俺は尻ぬぐいをマネージャーの井口にさせていたので、スクープされずにいたが、ある日、とうとう社長から呼び出しをくらった。
社長は俺に井口からの手紙を渡した。
どうやら彼は休みのようだ。
【かなりアナタ、記事で頑固かもと記録曲げられ胃腸焦げらす】
社長は「お前、ちゃんととり消せよ」と言った。
井口のストレスにならないよう生活態度を改めろということだろう。
俺が苦笑いをしてうなずくと、社長は「お前のしてきたことを思うと、俺は庇いきれんからな」と言って頭を抱えた。

担当マネージャーの井口からの手紙の内容は【かなりアナタ、記事で頑固かもと記録曲げられ胃腸焦げらす】ここから「とり消せよ」と社長に言われたとおり、「とり（鳥）」を消していく。手紙を平仮名に直すと、「かなりあなたきじでがんこかもときろくまげられいちょうこげらす」となる。ここから「鳥」の名前を抜き出すと、「カナリア」「キジ」「ガン」「カモ」「トキ」「クマゲラ」「レイチョウ（霊鳥）」「コゲラ」であり、これらを引いて残った言葉は「なたでころす」＝「鉈で殺す」となる。マネージャーの堪忍袋の緒は切れてしまったようだ。

遺書

同級生が虐(いじ)めを苦に自殺した。
僕(ぼく)は、彼(かれ)を庇(かば)うことで自分がターゲットにならないよう、見て見ぬフリをしてきたことを後悔(こうかい)した。
彼の遺書にはクラスメイト全員の名前と日付のようなものが書き残してあった。

1/1, 1/2, 1/3, 2/3, 3/1, 3/2, 3/3
1/4, 1/5, 1/6, 2/4, 2/6, 3/4, 3/5, 3/6
1/7, 1/9, 2/8, 3/7, 3/9

その日付が何を意味するのか分からないが、その後、一人、また一人とクラスメイトが謎(なぞ)の死を遂(と)げた。

遺書に書かれていた謎の日付。
実はこれは視覚的に考えると読める文字。
方眼用紙を用意して（なければマス目を自分で書いて）、分子を縦軸、分母を横軸に当てはめて印をつけ、線でつなげる。
彼は「コロス」という言葉を残して自殺した。
クラスメイト全員の名前を書いているところをみると、ターゲットは自分を虐めた人間だけでないようだ……

STORY 070

四字熟語

甘ったれた弟の根性を叩き直そうと、少々手荒なことをした。
弟は両親に告げ口し、俺が叱られた。
ムカついて弟の部屋に行くが、いない。
机の上にノートが開きっぱなしで置いてあった。
見ると、「一期一会、一者択一、無二無三、三者三様、遮二無二」と書いてあった。
四字熟語の勉強途中でトイレにでも行ったらしい。
俺は部屋で弟を待つことにした。

「一期一会、二者択一、無二無三、三者三様、遮二無二」という四字熟語、それぞれの数字を足す。

例えば一期一会なら１＋１

二者一択なら２＋１のように足していくと、「２、３、５、６、４」となる。

この数字を語呂（ごろ）合わせで読んでいくと、「にーさんごろし」となる。

手荒なことをされた弟は、殺したいほど兄を憎（にく）んでいるようだ。

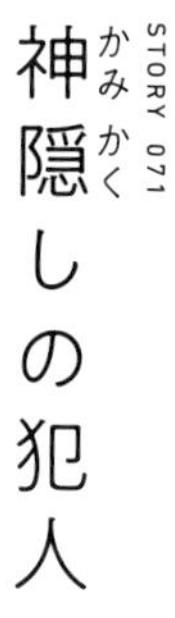

STORY 071

神隠しの犯人

敬虔なカトリック教徒が集まる村で、神隠しが連日起こった。
一人で村の外には出ることのできない小さな子どもばかりが、忽然と姿を消すのだ。
人々が山に棲む魔物か悪魔のせいだと怖れ、神に救いを求める中、子どもを失った母親のうちの一人だけは、神隠しではなく、人攫いだと喚き、犯人捜しに躍起になった。
けれど、その母親は、野犬かオオカミに襲われて亡くなった。
彼女は死ぬ間際、傍にあった木に、自分の血で「★★★★ノ」と書き、息絶えていた。

殺された母親が木に書いたメッセージは

「★★★★ノ」

四つの★（星）、つまり「四（し）星（スター）」＝「シスター」

「ノ」は「人」という文字の半分でもあるので、「半人」＝「犯人」

すなわち、シスターが犯人。

教会ぐるみで人身売買をしていたのだろう。

STORY 072

ミステリーツアー

プチ贅沢を楽しむひとつとして、観光列車が流行っている。
今回、彼氏と連休のタイミングがあったので、そのミステリーツアーに申し込んだ。
欧米風のデザインの中に日本の伝統工芸を組み合わせた豪奢な内装、美味しい料理。
列車の旅を楽しむ間に行先のヒントが知らされる。
「浮絵、帆、夜、菜」
これらから連想するのは葛飾北斎や歌川豊春といった浮世絵画家。
きっと、彼らの中の誰かにちなんだ場所が目的地なのだろう。
どんな場所に行くのか楽しみにしていると、急に列車が逆走しだした。

ヒントは「欧米風のデザインの中に日本の伝統工芸を組み合わせた」というところから、暗号である「浮絵、帆、夜、菜」も、欧米の文字であるアルファベットでローマ字にすると、「UKIEHOYONA」となる。
列車は目的地に向けて「逆走」しだしたので、これを逆から読むと、「ANOYOHEIKU」となり、これをひらがなで読むと、「あのよへいく」となる。
「あの世へ行く」列車には絶対に乗りたくはない。

STORY 073

八百万神の一人

神社の中には、複数の神々を祀ってある所があるが、近所の神社には「絶対に開けてはいけない」「絶対に参拝してはいけない」社がある。

駄目だと言われたら、ついやってみたくなってしまうもの。

不気味な雰囲気を漂わせている小さな社の扉をこっそり開けると、そこには

「いち

＋

ゆうひ

しめしさる」

と書かれた、お札のような紙が貼られてあった。

強力な神なのだと知り、私は強く念じた。

「いち
　＋
　ゆうひ
　しめしさる」

これを漢字に作り替(か)える。

いちにゆうひを足すと、「一」＋「夕ヒ」で「死」

しめしさるは、しめすへん（示）に、さる（申）で神。

二つ合わせて「死神」

これを見て強力な神だと気がつき、強く念じる語り部はただものではない。

STORY 074

バックパッカーはキケンです

バックパッカーで道に迷い困っているところを現地の人に助けられた。
私が今日一日、まだ何も食べていないことを告げると、彼は リュックから「(T) AI (M)」と書かれた袋を取り出した。
中に入っていたのはタイ米で、それを使った料理を御馳走してくれた。
彼の家はこの近くだというので、今夜だけ寝床を貸してもらうことになった。
家には彼の家族がおり、リビングには神様が祀られていた。
祭壇には「I (K) E (N) (M) OT (T) (UR) E (T) K (ON) A T A (R) (N) O (R) (U)」と書かれてあった。
よほど信心深い人たちなのだろう。

「(T) AI (M)」を「タイマイ」と読むところから、( )内の文字は繰り返さず、( )に囲まれていない文字が繰り返し使われていることに気がつく。
それを元に、「I (K) E (N) (M) OT (T) (UR) E (T) K (ON) A T A (R) (N) O (R) (U)」を解いていくと、「IKENIE MOTTOT URETE KONAKA TT ARA NORO U」となる。
これを空白なしで続けて読むと、「いけにえもっとつれてこなかったらのろう」=「生贄もっと連れてこなかったら呪う」となる。

STORY 075

文字化け

私には双子の姉がいる。
見た目も性格も成績や運動神経もほとんど差がなく、親でさえ間違えるほど。
それなのに、昔から好きだった幼馴染みは姉を選んだ。
悔しくて、私は友達を使って姉の悪い噂を流した。
幼馴染みは初めは信用しなかったが、エスカレートしていくいやがらせと、写真を加工して作った浮気の捏造写真で噂を信じ、姉をふった。
ショックのあまり姉は自殺した。
死の直前、彼女から私宛にメールが届いていたが「6L3L8U3L7U　25U5U6U93L3」と文字化けしていた。

6L3L8U3L7U　25U5U6U93L3をスマホのフリックのローマ字入力で打ち込んでいく。
ローマ字がついていない数字は真ん中部分を選択し、LはLeft、UはUpかUnderか迷うところだが、フリック入力のローマ字画面は下に位置するものは数字なのでUpである上を示しているとして入力する。
出来上がった文章は「NEVER　ALLOWED」＝「絶対に許されない」
事実無根の噂話で追い詰められたのだから、姉が恨むのは当然のことであろう。

STORY 076

雨乞(あまご)い

ある村では干ばつが続き、川や井戸(いど)の水が絶える寸前だった。
雨乞いに縋(すが)るしかない村人たちは、村一番の美しい生娘(きむすめ)を生贄(いけにえ)にした。
彼女(かのじょ)は後ろ手に縛(しば)られたまま柱に括(くく)りつけられ、山の頂上に晒(さら)された。
儀式(ぎしき)の内容は、生きながら神の遣(つか)いと言われる鳥に食われること。
一週間後、彼女の遺体を柱から外すと、そこには
「ム、ロ／+／、ミ」
という文字が書かれてあった。
その後、その村には一滴(いってき)も雨が降ることはなかった。

生贄にされた娘は後ろ手に縛られたまま柱に文字を書いたので、書かれた呪いの言葉は逆さまになっている。
「ム、ロ／十／、ミ」を逆さまにして読むと「ミンナノロウ」＝皆呪う
何の罪も犯していないのに、生きたまま鳥に食べられるのだ。
その苦痛は想像を絶するものだろう。
自分以外の全てを呪ったとしても無理はない。

この作品は、小説投稿サイト『エブリスタ』の投稿作品に大幅な加筆・修正を加えたものです。

[著者略歴]

藤白圭（ふじしろ・けい）

愛知県出身。2月14日生まれ。B型。
物心つく前から母親より、童話や絵本ではなく怪談を読み聞かせられる。
その甲斐あってか、自他ともに認めるホラー・オカルト大好き人間。
常日頃から、世の中の不思議と恐怖に向き合っている。
小説投稿サイト『エブリスタ』で活躍し、『意味が分かると怖い話』（2018年 小社刊）でデビュー。
若い世代を中心に大きな支持を得ている。

意味(いみ)が分(わ)かると慄(おのの)く話(はなし)

2019年11月30日　初版発行
2023年9月30日　9刷発行

著者	藤白圭
発行者	小野寺優
発行所	株式会社河出書房新社 〒151-0051　東京都渋谷区千駄ヶ谷2-32-2 ☎03-3404-1201（営業）　☎03-3404-8611（編集） https://www.kawade.co.jp/
カバーイラスト	VOFAN
挿絵	旭ハジメ
デザイン	太田規介（BALCOLONY.）
組版	株式会社キャップス
印刷・製本	株式会社暁印刷

ISBN978-4-309-02832-3　Printed in Japan

読み終わったら、
人間が怖くなった——

隙間を覗かずにはいられない男を描く「隙間」ほか、怒濤の恐怖体験11作収録。

ISBN978-4-309-61213-3

痛々しいけど、
最高の爽快感！

なんでも透けて見える眼鏡を手に入れた男を描く「透視眼鏡」など、苦笑いの短編10作。

ISBN978-4-309-61221-8

エブリスタ編
5分後に緊迫のラスト
Hand picked 5 minute short, Literary gems to move and inspire you
5分シリーズ
河出書房新社
5分シリーズ
5分後に緊迫のラスト

愛しすぎて、壊したい！

魔女、ヴァンパイア、植物化していく人…異形の物語9作収録。

ISBN978-4-309-61224-9

5分シリーズ

5分後にいい気味なラスト

ざまあみろっ！

シリーズNo.1の爽快感！屈辱の果ての大逆転の物語10作収録。

ISBN978-4-309-61226-3

「イミコワ」の恐怖に加え、「謎」と「超」の新コーナーを追加。病みつき確実の新感覚ホラー短編集!

ISBN978-4-309-02792-0